UM PROGRAMA   REALIZAÇÃO   PRODUÇÃO

ENTREVISTAS A CHARLES GAVIN

SECOS & MOLHADOS 1973

SECOS & MOLHADOS

PHILIPS
ZAMBI
(Edu Lôbo-Vinicius de Moraes)
ELIS REGINA
Epic
GERALDO AZEVEDO
cid
"EMILIO SANTIAGO"
Ed. Arlequim
℗ 1968
CHICO
FEMININA
JOYCE
WAVE
ANTONIO CARLOS JOBIM
A&M RECORDS
STEREO
COLUMBIA
BARQUINHO
MAYSA
baccarola
JORGE ARAGÃO
estúdio eldorado
MONARCO
MARISA MONTE
HERBERT LUCENA
LADO 3
MOCAMBO
LÚCIO ALVES
FÁBRICA DE DISCOS ROZENBLIT LTDA
Djavan
LUZ
ALCEU VALENÇA
«MOLHADO DE SUOR»
QUARTETO NÔVO
ODEON
RCA VICTOR
A VONTADE MESMO
SOM do VINIL
wea
TITÃS
"CABEÇA DINOSSAURO"
MILTON NASCIMENTO
MINAS
ECM RECORDS
EGBERTO GISMONTI
DANÇA DAS CABEÇAS

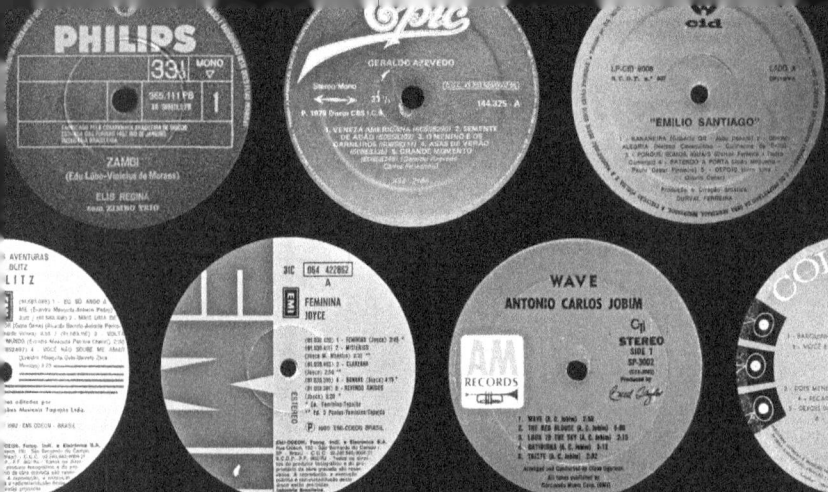

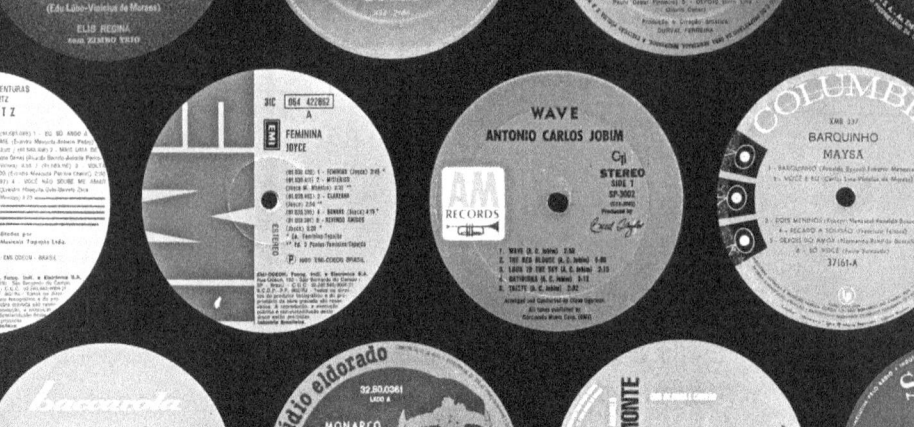

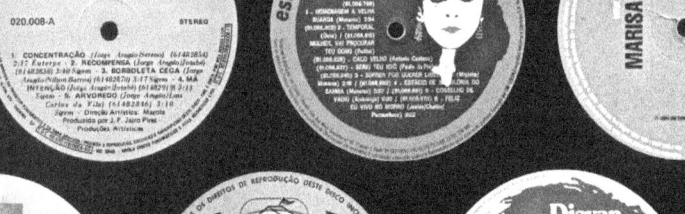

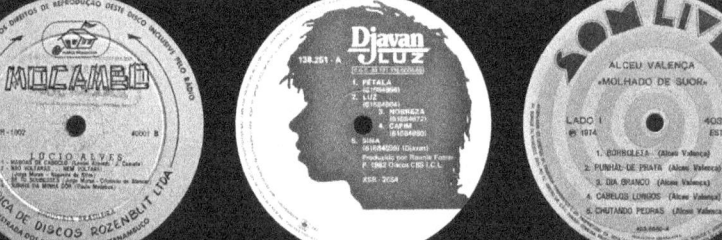

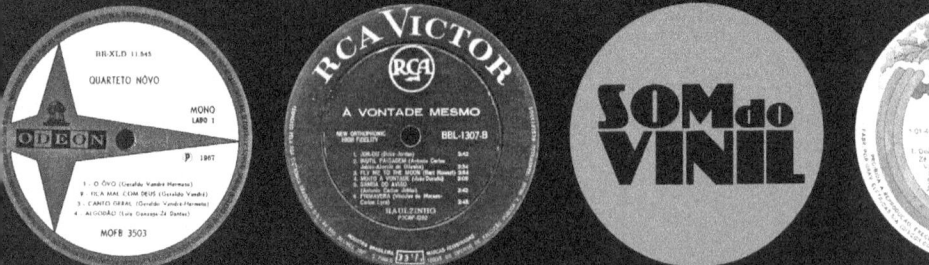

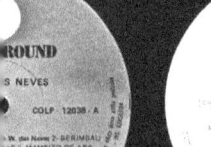

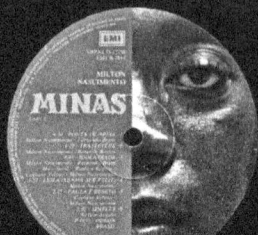

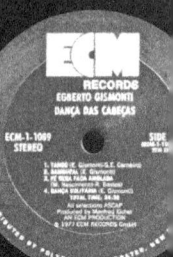

A IDEIA JÁ EXISTIA, MAS SÓ COMEÇOU A GANHAR FORMA a partir de um encontro com Geneton Moraes Neto numa esquina do Baixo Leblon, sábado de manhã. A certa altura do bate-papo eu disse ao jornalista (e amigo) que há muito tempo vinha pensando em montar um banco de dados na internet, onde seria possível compartilhar o conteúdo das entrevistas de *O Som do Vinil*, algo que muita gente sempre me cobrou.

Desde que começou a ser produzido, em 2007, o acervo foi ganhando valor inestimável, fruto da generosa colaboração dos convidados, que revelam histórias sobre suas canções, seus discos e suas carreiras, recompondo nossa história capítulo a capítulo.

Indo mais longe, afirmei: "Nesses tempos em que o espaço na mídia televisiva está se tornando cada vez mais escasso para as vertentes da música brasileira, iniciativas como essa acabam se transformando em estratégicos abrigos de proteção à nossa diversidade cultural, expressa através das artes. N'*O Som do Vinil*, quem conta a história da música brasileira é quem a fez — e a faz".

Geneton ouviu tudo com atenção, concordou e aconselhou: "Você tem que colocar isso em livro também. Pense que, daqui a décadas ou séculos, os livros ainda estarão presentes. Eles sobreviverão, seja qual for a mídia utilizada. Tenha certeza: colocou em livro, está eternizado, é pra sempre".

Cá estamos. A ideia se materializou e o projeto que disponibiliza sem cortes, na íntegra, algumas das centenas de entrevistas que fiz neste anos de *O Som do Vinil* está em suas mãos. Agradeço ao mestre e também a todos que, de alguma forma, ajudaram.

Aproveite. Compartilhe.

Charles Gavin

Um programa do Canal Brasil

Concepção
André Saddy, Charles Gavin, Darcy Burger e Paulo Mendonça

[Temporadas 2007, 2008, 2009 e 2010]
Apresentação, direção e pesquisa Charles Gavin
Direção Darcy Burger
Assistentes de direção Juliana Schmitz, Helena Machado, Barbara Lito, Rebecca Ramos
Editores Mariana Katona, Raphael Fontenelle, Tauana Carlier e Pablo Nery
Pesquisa e pauta Tarik de Souza
Coordenação de produção Crica Bressan e Guilherme Lajes
Produção executiva André Braga
Produção Bravo Produções

[Temporadas 2011, 2012 e 2013]
Apresentação, direção e pesquisa Charles Gavin
Direção Gabriela Gastal
Assistentes de direção Maitê Gurzoni, Liza Scavone, Henrique Landulfo
Editores Tauana Carlier, Thiago Arruda, Raphael Fontenelli, Rita Carvana
Pesquisa e pauta Tarik de Souza
Coordenação de produção Henrique Landulfo
Produção executiva Gabriela Figueiredo
Produção Samba Filmes

Equipe CANAL BRASIL
Direção-geral Paulo Mendonça
Gerente de marketing e projetos André Saddy
Gerente de produção Carlos Wanderley
Gerente de programação e aquisição Alexandre Cunha
Gerente financeiro Luiz Bertolo

No sulco do vinil

QUE O BRASIL NÃO TEM MEMÓRIA É UMA TRISTE CONSTATAÇÃO. Maltratamos nosso passado como malhamos Judas num sábado de Aleluia, relegando-o ao esquecimento empoeirado do tempo. Vivemos do aqui e agora como se o mundo tivesse nascido há 10 minutos, na louca barbárie do imediatismo. Esse ritmo frenético de excessos atropela não só reflexões um pouco menos rasteiras, como não nos permite sequer imaginar revisitar aquilo que de alguma forma nos fez ser o que somos hoje. Como se o conhecimento, qualquer que ele seja, fosse tão dispensável quanto aquilo que desconhecemos.

Esse esboço de pensamento não deve ser confundido com conservadorismo ou nostalgia, mas como fruto da convicção de que preservar e, talvez, entender o que foi vivido nos permite transgredir modismos e a urgência de necessidades que nos fazem acreditar serem nossas. Essas divagações estiveram na gênese do Canal Brasil, inicialmente concebido como uma janela do cinema brasileiro no meio da televisão e, posteriormente, transformado numa verdadeira trincheira da cultura nacional em todas as suas vertentes.

A música, por sua vez, chegou sorrateira, se impondo soberana como artigo de primeira necessidade, muito naturalmente para um canal chamado Brasil.

Começamos a produzir programas musicais e shows e a buscar, como havíamos feito com o cinema, uma forma que nos permitisse fazer o resgate do nosso extraordinário passado musical.

Recorrentemente falávamos do *Classic Albums* da BBC, pensamento logo descartado pela ausência de registros filmados de nossas clássicas gravações. Mas, como um fruto maduro, esse tema estava não só em nossas cabeças como também em outros corações.

E foi assim que Darcy Burger nos propôs, a mim e a André Saddy, em uma reunião realizada em meados de 2006, a produção de um programa que viesse a ser o *Álbuns Clássicos Brasileiros*.

Diante da constatação da impossibilidade de se reproduzir o modelo inglês do programa, evoluímos para a hipótese de se criar um formato brasileiro, contextualizado por circunstâncias históricas e políticas e depoimentos de artistas, músicos e técnicos envolvidos na feitura dos discos, de modo a viabilizar a elaboração de mais que um programa, um documentário sobre a produção de cada álbum selecionado. Restava saber quem teria credibilidade suficiente para a condução do programa. E essa foi a mais fácil e unânime das escolhas: Charles Gavin.

Charles, além de sua história bem-sucedida de baterista dos Titãs, realizava também um trabalho abnegado de resgate de uma infinidade de álbuns clássicos da música brasileira. Ou seja, assim como o Canal Brasil vem procurando fazer pelo cinema, Charles vinha, solitariamente, fazendo o mesmo em defesa da memória da música brasileira — o que era, desde sempre, um motivo de respeito e admiração de todos. A sua adesão ao projeto, bem como o respaldo propiciado pela luxuosa participação de Tárik de Souza na elaboração de pautas, deram a ele não só um formato definitivo, mas principalmente o embasamento técnico e conceitual exigido pelo programa.

Nascia, assim, em julho de 2007, no Canal Brasil, O Som do Vinil.

O acervo de entrevistas desde então registradas para elaboração dos programas em diversas temporadas é mais que um patrimônio, se constitui hoje num verdadeiro tesouro para todos aqueles que de alguma forma queiram revisitar uma parte já significativa da história da música brasileira. O

Paulo Mendonça

CONTINE

FACE A ⓟ 1

SE

1. SANGUE L
2:07 - 2. C
3. O PATRÃ
3:30 - 4.
2:15 -
A

PROIBIDA A REPRO-
DUÇÃO, EXECUÇÃO E
RADIOTELEDIFUSÃO
DÊSTE DISCO - FABR. POR
GRAVAÇÕES ELÉTRICAS S/A.
(DISCOS CONTINENTAL)
AV. DO ESTADO, 4755 - S. PAULO
SCDP-DPF-004/69-SP - C. G. C.
61.186.300/001 - IND. BRASILEIRA

33 1/3   SLP 10.112
STEREO COMPATÍVEL MONO

& MOLHADOS

(João Ricardo - Paulinho Mendonça)
A (João Ricardo - Luli) 2:14
SO DE CADA DIA (João Ricardo)
João Apolinário - João Ricardo)
AVERA NOS DENTES (João
o) - João Ricardo) 4:46

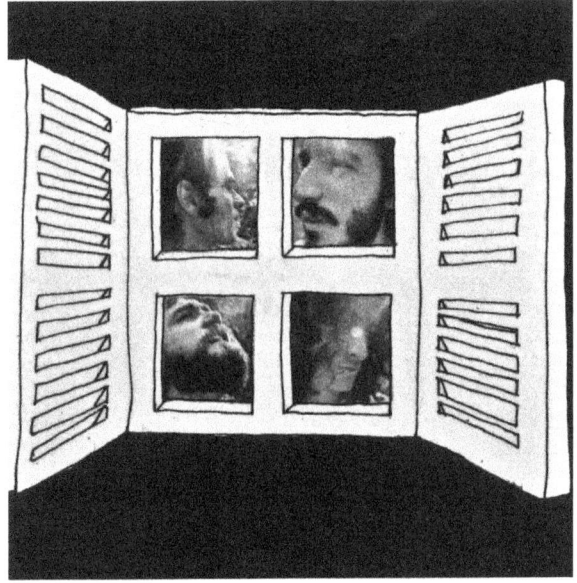

Secos & Molhados
Continental, 1973

Coordenação de produção Sidney Morais
Direção artística Júlio Nagib
Direção de produção Moracy do Val
Direção de musical João Ricardo
Arranjos Secos & Molhados (arranjo especial para a música "Fala" de Zé Rodrix)
Técnicos Luiz Roberto Marcondes e Aluizio de Paula Salles Jr.
Fotos Antonio Carlos Rodrigues
Lay-out Décio Duarte Ambrósio

João Ricardo Violões de 6 e 12 cordas, harmônica e vocal
Ney Matogrosso Voz
Gerson Conrad Violões de 6 e 12 cordas e vocal
Marcelo Frias Bateria e percussão

Sérgio Rosadas Flauta transversal e flauta de bambu
John Flavin Guitarra e violão de 12
Zé Rodrix Piano, ocarina e sintetizador
Willi Verdaguer Baixo
Emilio Carrera Piano

Ney Matogrosso

O que você estava fazendo antes de alguém te avisar que tinha um pessoal em São Paulo, que você podia fazer um trabalho?
Eu era hippie. Vivia no Rio de Janeiro, fazia artesanato pra vender e pra viver e era muito feliz, era muito feliz. Eu não tinha dinheiro mas eu era felicíssimo, eu era livre como o vento. Eu não tinha preocupação... Tudo que era meu cabia dentro de uma sacola de couro que eu fiz. Tudo meu estava ali. Eu não tinha uma televisão nas minhas costas, eu não tinha uma geladeira nas minhas costas, eu não tinha nada, eu era solto no mundo.

Você fazia artesanato, vendia o que e onde?
Eu fazia artesanato de várias coisas, de couro inicialmente, depois eu fui diversificando. Eu, por exemplo, passava uma semana em Búzios, que Búzios era uma praia deserta, não era Búzios, né, catando tudo que o mar trazia: sementes, pedras, seixos rolados, caquinhos de vidro, de tanto rolar na pedra ele já não tinha mais corte, ele era uma pedra. Então eu fazia dessas coisas, eu fazia objetos, nessa época eu fazia com barbantes e eu vendia muito mais pra estrangeiros, conchas enormes, do que pra brasileiros. Os brasileiros achavam tudo muito extravagante e não usavam, mas os estrangeiros adoravam. E eu vivia disso. Era a minha vida. Quando eu recebi o convite pra ir pra São Paulo, que o João veio ao Rio de Janeiro, me conheceu, que a Luhli tinha falado de mim, ele veio e me conheceu na casa da Luhli. Antes de ir pra São Pau-

lo eu fui pra Búzios, pra me despedir. Tomei os últimos ácidos da minha vida e fui embora pra lá. Tinha um despertador que eu guardei para comprar a passagem pra poder ir pra São Paulo e tinha um despertadorzinho que eu vendi pra um pescador lá, e com esse dinheiro eu fui pra São Paulo.

Você já estava envolvido com o teatro antes de ir pra São Paulo?
Sim, eu fazia teatro.

Conta um pouquinho...
Eu já fazia teatro, fazia teatro infantil ainda e tudo que eu tinha feito até então era musical e tudo eu tinha que cantar, dançar, interpretar, me caracterizar, que na verdade foi o que depois no grupo, eu carreguei comigo essa... A minha experiência no teatro que era exatamente, tudo que eu fiz foi musical. Era o que eu ansiava na minha vida, era o que eu queria.

Isso aconteceu de que forma, que você chegou no teatro...?
Olha, eu quando morava em Brasília (eu morei sete anos em Brasília), eu era tão tímido que era uma coisa incômoda pra mim, porque eu chegava assim num lugar, eu entrava, não dava nem boa noite e eu saía daquele lugar, eu não tinha conversado com uma pessoa. Eu era incapaz de me comunicar. Então eu fui fazer um curso de teatro em Brasília pra ver se eu conseguia ultrapassar essa barreira, porque era uma coisa que me incomodava muito. Aí eu fiz esse curso de teatro, houve a minha primeira incursão em uma peça, isso foi antes de 64, era... Eu queria me lembrar o nome da peça dos Dias Gomes que a gente estava ensaiando... *A Invasão*. E quando nós íamos estrear a peça, uma semana depois houve o golpe militar que vetou, porque o Dias Gomes era assim, consi-

derado um subversivo pelos militares. Então a minha estreia no teatro foi abortada por conta de um golpe militar. Mas aí era o que eu pretendia na vida. Eu sabia que eu cantava, mas eu achava que o fato de cantar era útil ao ator, sabe? Eu achava que um ator tinha que cantar, tinha que dançar, tinha que ter essa disponibilidade física, que era útil para um ator. Então eu cantava já em Brasília, eu já tinha cantado num festival na universidade de Brasília que foi feito para um grupo de universitários mineiros que foram lá, foi a primeira vez que eu cantei música popular brasileira, cantei o "Só tinha que ser com você". Foi a primeira vez que eu tive que enfrentar uma plateia, foi a primeira vez que eu tive que enfrentar uma plateia que me estranhou e isso note bem...

A primeira vez?
A primeira vez, eu não estava fantasiado, eu estava vestido normal, mas a minha voz eles estranharam. A minha voz eles estranharam, e uma pessoa na plateia começou a me chamar de bicha. Olha que história. Porque as meninas todas eram Nara Leão, todas com os joelhinhos de fora e eu fui o primeiro homem que entrei depois delas e eu, imagina, nervosíssimo, duro, travado, o maluco me chamou de bicha e eu disse: "Ah, não vou engolir essa!". Aí eu mandei parar o som, falei "para tudo, para tudo". Fui lá, cheguei fiquei na frente dele olhando pra cara dele assim, disse: "e aí?" Aí ele ficou todo, né, quando ele calou a boca, que ele ficou caladinho, eu falei: "pode tocar que eu vou cantar agora" e cantei, fui embora. Na saída, saíam todos pelo mesmo lugar, eu fui assim encostado na nuca dele, atrás dele assim e eu senti que o cara ficou com medo de uma agressão minha, mas eu não ia agredir, só o fato de ele se sentir ameaçado pela minha presença, próximo a ele eu disse: "ah, é um covarde". Mas foi a minha estreia, foi essa.

Como estreia está ótimo, já causou esse estranhamento...
Mas era a voz, apenas a voz. Porque eu não estava dançando, eu não estava fazendo nada, eu estava vestido normal, eu não estava fantasiado.

Você já cantava naquele tom que você...
Sim... Isso é uma coisa natural pra mim. Eu não cantei dessa maneira por causa dos Secos & Molhados, pelo contrário, eu fui escolhido para os Secos & Molhados por ter essa voz. Eles não queriam uma mulher, eles queriam um homem, mas que alcançasse esse registro.

Você vendeu o despertador para o pescador e pegou...
E fui pra São Paulo.

E aí?
Cheguei lá, bati na casa dele e disse assim: "Estou aqui, cheguei." Fiquei nesse dia na casa.

Só uma coisa pras pessoas entenderem, porque tem essa Casa de Badalação e Tédio, que o Gerson mencionou bastante. O que era ambiente cultural em São Paulo nessa época, de uma forma geral? Estamos falando de 1972. Você lembra um pouco como era ali? O astral?
Eu lembro que existia um movimento de rock subterrâneo muito forte, nós não éramos os únicos. Eu vou poder citar assim alguns porque não me lembro de todos, eram muitos. Existia movimento subterrâneo mesmo que não aparecia, que não aparecia, mas existia. Dali saiu Joelho de Porco, saiu Made in Brasil e eu não me lembro mais... Mas era muito. Olha, houve um programa que nós fizemos na TV Gazeta, que era um programa só com grupos

de rock de São Paulo. E foi feito um programa só com os grupos de rock que existiam sim, que estavam tentando alguma coisa lá dentro da história da música. São Paulo sempre teve essa história, rock em São Paulo sempre foi muito mais forte que no Rio de Janeiro, não é? Até virem os anos 1980 e aí virar uma coisa...

O que te levou, Ney, a se mudar pra São Paulo? O que, no trabalho, na proposta do João Ricardo te chamou atenção, te seduziu para você sair daqui e ir pra São Paulo?

Eu vou te dizer uma coisa, você pode acreditar se você quiser e se não quiser acreditar... Eu tinha certeza desde que eu me entendi por gente que aconteceria alguma coisa na minha vida em termos artísticos, eu tinha certeza. Eu achava que era teatro. Na hora que a Luhli me falou dele eu já fiquei assim com as orelhas em pé, na hora que eu bati o olho nele, que ele me explicou do que se tratava, dentro de mim uma coisa disse assim: "Vai, chegou a hora." Eu fui confiante de que aquilo daria certo. Ouvi o repertório, gostei muito do repertório e fui confiante. Trabalhamos exaustivamente, eu fazia minhas peças infantis lá pra ganhar o meu pão e ensaiava diariamente, nós ensaiamos um ano diariamente as músicas.

Onde eram esses ensaios?
Eram onde dava. Na minha casa muitas vezes, na casa dele muitas vezes, em qualquer lugar que desse a gente estava ensaiando.

Era com voz e violão....
Voz, dois violões e uma gaita, assim nós levantamos todo o repertório. A banda entrou bem na parte final.

Você tinha alguma referência assim, você está falando dessa coisa de rock, São Paulo, tinha alguém como referência pra vocês?

Não. O João tinha muitas referências, ele era uma pessoa muito preparada, assim. Ele era jornalista e ele tinha muitas referências. Eu não tinha referência de nada, eu estava lá intuitivamente. Eu percebi alguma coisa de Crosby, Stills & Nash na onda que ele queria, mas isso também não se aprofundou. Sabe, na verdade, se você procurar o nosso trabalho inteiro você vai achar uma coisa que remetia a eles, apenas isso. O repertório, quando eu fui, já estava 70% pronto. As duas músicas, "Fala" e "O vira" a Luhli fez com ele lá quando conheceu João Ricardo. O Paulinho Mendonça fez o "Sangue latino" na reta final, quando o disco estava quase pronto, o "Sangue latino" ficou pronto e entrou no disco, e o Gerson fez também na reta final o "Rosa de Hiroshima".

Esse momento, em que o João Ricardo mostrou as músicas no Rio, já estava um pouco direcionado pra sonoridade, já dava pra perceber?

Não... Porque era com o violão e uma gaita que eu ouvi, então eu não tinha uma noção exata. Eu sabia que a proposta era ser um grupo de rock, mas eu ouço esse disco hoje em dia e não acredito que isso seja considerado um disco de rock até hoje, não é...

Apenas rock, não é?...

Apenas, não é?

Fala um pouquinho, tem uma história que o Gerson contou pra gente, eu queria confirmar com você. Você trabalhava numa peça infantil já em São Paulo...

Sim. O Emílio Carreira tocava na banda da peça que eu fazia, a tal da adaptação dos *Lusíadas*, com Celso Nunes, que era um espetáculo maravilhoso porque um dia eu tive um problema e fiquei todo travado e eu assisti à peça. Eu fazia a peça, na hora que aquela caravela saía daquele subsolo que subiu, que se abriu, eu quase chorei de emoção com a beleza daquilo que era. Então eu entendi o sucesso daquela peça e tinha uma banda que tocava ao vivo todas as noites, que foi onde eu comecei a largar meu corpo, que eu era muito doidão, sabe? Fumava, puxava muito o fumo e ficava lá no escuro, e aí eu ficava dançando, disse: vou ver como é que é dançar, eu nunca tinha dançado. Não é dançado, solto. Eu fazia para as peças, mas era com uma pessoa que, né, que dirigia e ali eu fiquei tentando assim fazer, ficar dançando com uma banda. Eu ficava no escuro muito tempo, era um coro, era um dos portugueses que embarcavam praquela viagem, né, por todo o mundo e eu ficava muito tempo no escuro e ficava no escuro dançando e ouvindo aquela banda tocar e dali foi que o Emílio foi chamado e o Emílio participou. Eu tenho a impressão, posso estar enganado, mas eu tenho a impressão que o Emílio arregimentou alguns músicos, inclusive.

Vocês ensaiaram um ano então esse repertório...
Exaustivamente...

Como é que o Moracy do Val apareceu nessa história?
O Moracy apareceu quando fizemos os primeiros três dias na Casa de Badalação e Tédio, até então nós já tínhamos mandado uma fitinha nossa para todas as gravadoras, que sequer ou-

viram. O Moracy do Val nos viu na Casa de Badalação e Tédio e levou uma fita da gente pra Continental dizendo assim: "Grave, porque senão eles vão acontecer imediatamente, em qualquer gravadora". E aí nós fomos chamados e começamos a gravar, rapidamente, porque isso foi em dezembro de 1972, você vê que rapidinho fomos gravar. O repertório já estava pronto, ensaiado à exaustão. Foi entrar no estúdio e gravar.

Esse show, essa temporada que fez sucesso em São Paulo, como foi a formação. Já tinha figurino?
Eram os mesmos músicos, eram os mesmos músicos que gravaram, que depois tocaram com a gente. Olha, o negócio foi o seguinte: é a primeira vez que chegamos lá, eu não tinha noção assim do que, do que faria e tinha existido uma ideia de que nós deveríamos ter um boné do Che Guevara, eu disse: "Oh, tô fora. Eu não tenho nada, admiro Che Guevara, admiro muito a revolução cubana, mas eu não vou botar um boné do Che Guevara porque não é a minha". Aí eu perguntei assim, "o que sobra de espaço aqui pra mim?". Disseram assim: "Ah, esse metro quadrado aí". Eu disse: "Então eu vou fazer o que eu quiser aqui dentro, está bem?". Eles disseram: "Está bem". Nem eles sabiam, nem eu o que eu faria. Aí eu mandei fazer uma calça pra mim rapidamente, uma calça de cetim branca. Comprei uma grinalda de noiva, só aquelas flores da cabeça da noiva, e a Maria Alice, mulher do Paulinho Mendonça na época, me mandou vários vidros de purpurina, pó de purpurina, era uma coisa assim que era um pó, não era aquela purpurina que parece um caquinho, era um pó. Aí disse: Bom, então vou fazer isso. Assim, agora o princípio da história. Eu ouvia dizer que artista não tinha vida privada, que artista não podia andar na rua. Eu tinha 31 anos, temos que colocar isso no tempo e no espaço, tinha 31 anos, eu não podia perder esse di-

reito porque eu adorava a rua, como eu adoro a rua e eu não podia perder esse direito. Então eu comecei a ir com essa coisa e eu tinha um bigode, porque eu fazia um português, então eu entrei em cena e as pessoas acharam aquela figura muito estranha, porque era uma calça de cetim baixinha aqui, porque na época, agora se usa de novo, mas na época não, com a virilha de fora, os pentelhos quase de fora. Aquela grinalda de noiva, de bigode e cantando aquele repertório com aquela voz, e eu comecei a ver que eu podia dançar um pouco, fazer um pouco de cena, ocupar um pouco aquele espaço, porque eu não queria ser um crooner, falei assim: "Ah, eu quero ser mais que ficar lá cantando, eu quero, já que eu sou um ator, quero desenvolver alguma coisa"; e nisso eu fui fazendo, entendi rapidamente que aquele bigode atrapalhava uma coisa, uma possibilidade. Aí eu tirei o bigode e, inspirado no teatro Kabuki, eu fiz aquela máscara branca e preta.

Já na Casa? Já nessa temporada?
Na segunda temporada, na primeira não.

Sim, a gente não havia chegado em estúdio ainda?
Não.

Veio do teatro Kabuki isso?
Sim, a inspiração... Eu não reproduzi o teatro Kabuki, mas eu me inspirei no teatro Kabuki, aquela coisa daquela cara exageradamente maquiada, só que eles se pintam de várias cores, eu optei por fazer preto e branco, exageradamente. Eu não me pintava pra ficar bonitinho, eu me pintava pra não ser eu. E eu fui percebendo que na medida em que eu não era eu, eu tinha uma liberdade física absoluta e que essa liberdade provocava demais as pessoas, e aí quanto mais eu fui entendendo que a minha liber-

dade física provocava, mais eu exacerbava. Porque ao mesmo tempo que eu via que em algumas pessoas provoca um impacto assim de assustar, em outras era como se fosse uma válvula de escape pra elas, sabe? Porque ninguém podia se expressar, ninguém podia se manifestar, ninguém podia dizer o que pensava da vida e eu disse assim, "eu estou dizendo o que eu penso, eu estou sendo eu", sabe?

Mas é uma atitude muito corajosa, num momento como esse, uma pessoa se colocar dessa forma, em 1972...
Sim, mas sabe o que acontece? Eu, pra mim a maior autoridade da minha vida eu já tinha contestado, que era meu pai, e eu não achava que o governo militar fosse a maior autoridade na minha vida. Então eu ignorava, eu fingia que eles não existiam, mas eu recebia muito recado.

Seu pai era militar?
Meu pai era militar...

Já tinha sido contestado na verdade.
Sim, já tinha. Ele tinha me expulsado de casa aos 17 anos.

Seu pai foi o que no exército, Ney?
Meu pai era da aeronáutica.

Ele foi até que patente?
Eu não sei, porque quando morre sobe de patente. Então não sei aonde foi porque já estava fora de casa há muitos anos, mas eu também achava o seguinte, por aquelas alturas, eu saí de casa com 17 anos e isso aconteceu comigo eu tinha 31 anos, não tinha que dar satisfação a ninguém. As pessoas diziam assim: "Ah,

mas você não tá preocupado com o que seu pai vai pensar, ou sua mãe?" Falei assim: "Não. Não estou preocupado com o que ninguém possa pensar, não é? Sou dono do meu nariz, vivo às minhas custas, não dependo de ninguém". Então não tinha essa preocupação mesmo.

Como é que você explica, vamos voltar um pouquinho no tempo, que as crianças e os adolescentes se apaixonaram pela figura...
Porque pras crianças aquilo dali não tinha nada de sexual, ou de transgressor, para as crianças era... Eu acho que as crianças viram aquele desenhinho que depois fizeram sobre as baratas. Eles viam aquilo. Você se lembra que fizeram um comercial que eram as baratas imitando a gente, vestidas como nós e pintadas como eu. Eu acho que as crianças na verdade quando viam aquilo na televisão eles viam aquilo, um desenho animado, uma coisa assim sabe, que eles imediatamente gostaram, e eu acho que as crianças foram salvo conduto pra gente, eu acredito nisso, sempre acreditei nisso, que as crianças foram nosso salvo conduto, sabe? Porque era tarde, nós já tínhamos ocupado a mente das crianças, não é? Aí como é que você tira isso do ar e explica pra algumas gerações que estavam ali...

Só conclui a história da purpurina, acho que você pegou só pra explicar a maquiagem, teve alguma coisa com a purpurina que você ganhou?
Então, nesse primeiro dia eu me pintei com essa purpurina, no segundo dia também e no terceiro dia também. Aí depois eu entendi que sem a purpurina eu podia ir muito mais longe, né, eu podia fazer uma coisa muito mais teatral mesmo, né? Então eu parti pra isso, pra essa coisa do teatro Kabuki porque era a minha

possibilidade assim, primeiro de me ocultar e segundo de pirar, a cada dia eu fazia uma cara diferente e meus figurinos... Bom, no primeiro dia que nós fizemos lá, no dia seguinte o elenco todo me levou, estrelas, broches, fita, trapos, pedaços de pele, não sei o que, porque eles viram que tudo seria útil pra mim, não é? E a partir daí eu fui tendo, eu não tinha uma imagem fixa... Uma que se fixou na cabeça das pessoas é aquela de franja, mas aquela era apenas uma entre tantas, porque eu mudava todo dia, né.

A reação da plateia, você já percebeu que isso era uma coisa que podia te levar aonde você queria?

Sim, sim, percebi. Eu percebi que era uma via pra eu me expressar como uma pessoa que contestava aquilo que a gente vivia, embora eu não tivesse nenhum envolvimento com política, que eu sempre rejeitei a política como forma de transformação, porque nunca acreditei neles, continuo não acreditando, então não estava errado na minha observação naquela época e eu não falava de política, mas eu tinha certeza que o que eu fazia era tão transgressor que ia modificar alguma coisa, eu tinha consciência disso, eu me fingia de morto, eu me fingia de morto. Tanto que quanto mais reação havia, mais absurdos eu fazia em cena. Chegou dia de eu virar de costas pra plateia, arriar aquela saia de franjas, virar de frente e ficava segurando meu pau, andando pra frente só segurando o pau.

Mas isso antes do disco ou depois do disco?

Não, isso já depois do disco. Isso já depois do disco porque, aí era a batalha quando começou a ser travada, porque existia uma facção careta que queria...

Que queriam ver vocês longe...
Sim, sim, sim. E foi também, o meu segundo confronto com uma plateia, aí sim uma plateia, eu tinha umas dez mil num clube enorme lá em São Paulo onde uma metade começou a me chamar de bicha. Ai, eu disse: "Ah, pera aí! Bicha?". Aí fiz uma pose linda, isso cantando "Rosa de Hiroshima", o único lugar que não poderiam fazer isso. Fiz uma pose linda pra eles, continuaram chamando, disse: "Ah é? Vão tomar no cu". Quando eu fiz isso, a metade que estava calada começou a me aplaudir e os que estavam gritando calaram a boca. E eu entendi ali que eu não podia ter medo deles mesmo. Por que ter medo deles? Ué? Por que ter medo de alguma coisa na vida, não é?

Vamos sair da Casa de Badalação... Você se pintou, mas eles também se pintaram, não é? Isso começou junto, porque não tem como não falar da pintura, está agregada aqui ao trabalho. Eles também se pintaram.
A pintura deles, não. A pintura deles foi posterior.

Como foi?
Eu fui chamado pra uma reunião com os componentes do grupo e com o empresário e me deram uma dura, que eu não podia fazer o que eu estava fazendo, que eu não podia me requebrar, que eu não podia me pintar porque estavam dizendo que nós éramos um grupo de homossexuais. Eu disse: "É muito simples, vocês digam que vocês não são e está resolvido". "Não, mas não pode isso." Isso nós já tínhamos, já fazíamos sucesso em São Paulo, ainda não éramos no Brasil. Aí disse: "Bom, mas então tudo bem. Então se eu não posso, então tudo bem, como amigos sem briga, botem outro em meu lugar e eu vou seguir minha vida e vocês seguem a de vocês, não é?". Mas aí era tarde, aí já tinha assim a

gravadora já estava interessada naquilo e eles começaram a entender que aquilo que era transgressor era muito atraente para o grupo, não é? E aí então o Paulinho teve uma conversa com eles, que achava que todos tinham que fazer a mesma coisa ou então ninguém fazia nada, que não sei o que e aí todos resolveram se pintar. Eu ficava na minha, eu não dizia o que eles tinham que fazer, eu disse: "Olha, eu vou fazer. Vocês me deram essa liberdade e eu pedi o direito de me expressar, vocês me deram, eu vou me expressar. Se vocês não gostarem disso botem outro em meu lugar e está tudo certo, sem briga, não tem problema".

Excelente. Vamos pro estúdio?

Sangue latino

Nós chegamos muito prontos pra gravação, nós tínhamos ensaiado exaustivamente, como eu já falei, então esse disco ele foi gravado com muita facilidade e foi gravado assim em condições até, eles basearam as condições da época mesmo, eram quatro canais, não é? Era o que tinha, não tinham mesas de 60 canais e o resultado é muito bom, ele é muito interessante porque ele é muito bom mesmo e eu acho que muito convicto. Nós chegamos muito convictos do repertório assim, embora muita coisa boa tenha sido proibida pela Censura, como uma música chamada "Passárgada" era porque falava que em "Passárgada tinha alcaloide à vontade", eles diziam que isso era, como é que chama?

"Apologia"?

Apologia às drogas. Que "alcaloide à vontade" era apologia às drogas. Proibiram, era uma música linda. O "Tem gente com fome" foi proibido também ai e que eu só consegui gravar na década de 80, no final dos anos 80.

A primeira faixa que foi pro rádio foi "Sangue latino". Na minha opinião, que sou testemunha viva desse momento, quando essa música foi pro rádio começou a revolução que vocês fizeram na música popular brasileira... Não sei se você concorda, mas foi um tipo de revolução cultural...
Sim, existia um comportamento, tudo ia junto. A voz era muito inusitada para homem, não podia cantar com essa voz porque até essa época homem no Brasil tinha que cantar com voz grossa, sabe? Homem não podia ter essa voz. As pessoas quando ouviam isso no rádio não sabiam se era um homem ou uma mulher, na verdade essa foi a primeira interrogação, isso é um homem ou uma mulher? Aí viam maquiado, ficavam mais confusos ainda, viam se requebrando, era mais confuso ainda, seminu, não é? Porque no comecinho eu usei umas calças e comecei a sentir muito calor, e disse: Não quero usar calça nenhuma, eu vou fazer uma coisa de franja, um tapa-sexo que aí eu não sinto calor, né. Claro que tinha uma maldade escondida por trás. Era uma maneira de também provocar. Porque eu não estava nu, mas eu não estava vestido, não é? Então eu acredito sim, eu acredito que a gente ajudou, até acredito mesmo nisso, sem nenhuma pretensão a nada porque ninguém fez para... Mas eu acho que a gente ajudou a desencaretar o Brasil um pouco, sabe? A gente ajudou a arejar a mentalidade.

Você que estava lá descreva essa caretice, esse machismo, esse conservadorismo...
Olha, era um país muito machista, muito conservador... Inde-

pendente da Ditadura, né, independente da Ditadura. Aí um dia, sabe quando é que eu vi quando a gente tinha ultrapassado a barreira? Eu estava na praia deitado tomando sol aqui no Rio de Janeiro, aí passou um caminhão de lixo com um negão desse tamanho lá em cima cantando "O gato preto cruzou a estrada...". Rapaz, nós furamos o bloqueio...

O vira

Isso pra mim nunca teve conotação sexual alguma. Isso pra mim nunca teve nenhuma quando "Vira, vira" não vira nada, era "vira lobisomem", não tinha conotação nenhuma. As pessoas acham que tinha. Não tinha conotação nenhuma, era uma coisa infantil mesmo, uma coisa engraçada, uma brincadeira, sabe? Um vira, um vira, porque foi a Luhli que fez essa letra pra uma música do João porque ele era português, fizeram um vira e a Luhli até hoje é ligada em fadas, em sacis, ela escreve sobre isso, não tinha...

Essa música quando foi pro rádio colocou vocês no mapa da agenda cultural brasileira da época e foi a segunda música de trabalho...
Sim, sim, sim. Foi tudo muito meio ao mesmo tempo, é tudo rápido.

Essa música tocou mais que o "Sangue latino".
Sim, essa foi mais popular que o "Sangue latino".

Então vamos falar um pouquinho dela. Por que você acha que "O vira" se tornou uma música tão popular? Seria por-

que ela tem uma ambiguidade, é infantil? Por que você acha que "O vira" se tornou uma faixa quase que símbolo desse disco? Pela letra que ela tem? É uma fusão de rock com vira?
Sim, sim. Tinham as pessoas que relacionavam também a questão da ambiguidade visual com a ambiguidade da letra, mas que na verdade isso aí foi feito muito antes da gente se apresentar e muito antes de eu sequer imaginar que eu ia me pintar e que eu ia, não é? Então eu nunca olhei pra ela dessa manei... Pra mim era uma brincadeira, é uma músicas pra crianças, que foi na verdade a música que fisgou as crianças.

Tem alguma passagem assim relacionada especificamente à criança? Eu me lembro (eu já não era criança, tinha 14 anos então) que os meus vizinhos, os garotos, enlouqueceram com isso e eu ouvia crianças cantarem isso na rua. Você lembra? O que você sentiu quando aquilo foi recebido e adotado por crianças?
Foi recebido e adotado por crianças e não só, por todo o povo brasileiro. Eu fui na Bahia nessa época passar o carnaval e eu vi um bloco, um bloco de carnaval imenso, todo mundo vestido com aquela roupa de franjas e cantando isso. Aí um negão daqueles me reconheceu, me botou no lombo e me atravessou aquela praça inteira, que era na Praça Castro Alves, o carnaval, e ele passou comigo, mas ninguém sabia que era eu, e eu estava lá em cima dele... Ele me pegou, me botou no ombro e saiu comigo no meio do bloco, e eu vendo aquela gente toda disse assim: "é impressionante". Porque a Luhli me falou que foi no Amazonas, estava em um Igarapé, lá no meio do Amazonas com um radinho de pilha tocando "O vira", quer dizer, "O vira" realmente foi assim uma... Não sei, foi um divisor mesmo assim.

O patrão nosso de cada dia

O João Ricardo tinha... Ele era filho de um exilado político, não é? O pai dele era um poeta português que veio de lá. Então ele tinha esse lado. Eu, embora não fosse panfletário, mas eu tinha as minhas... Sempre tive uma preocupação... Então eu fui de acordo com esse repertório assim na primeira audição. Eu fui de acordo e acho que a gente conseguia realmente abordar temáticas sociais de uma maneira que eu não sei nem como deixaram porque a grande preocupação do governo era essa, era essa, sabe? Proibiram o "Tem gente com fome", mas liberaram algumas outras coisas, inexplicavelmente.

Tem uma coisa aqui nessa faixa que me chama a atenção. A marca registrada de vocês também são esses arranjos vocais, todo mundo cantando.

Sim, sim.

Isso é assinatura dos Secos & Molhados, são muitas, mas...

Na verdade, eu fui escolhido por essa possibilidade de fazer um trio vocal, não sendo uma mulher, sendo um homem e porque eles queriam a voz média, a voz grave e a voz aguda, não é? Por isso eu fui chamado para fazer, por essa possibilidade desses vocais aí.

Duas perguntas: Essa ideia já vinha do João Ricardo? Essa que você acabou de dizer, já que sabia...

Do vocal?

Não, de quem ele precisava pra montar aquilo que ele estava imaginando.
Não, a ideia quem deu pra ele foi a Luhli, foi a Luhli quem falou pra ele que eu existia, aí ele veio ao Rio me conhecer. A Luhli disse assim: canta pra ele ouvir. Eu cantei, ai ele sacou que era a pessoa indicada pro que ele pretendia fazer, não é? Mas demorou um pouquinho. Ele dizia o seguinte, ele queria uma voz aguda, mas não queria que fosse uma mulher. Já tinha havido antes um Secos & Molhados, já tinha havido antes uma cantora...

Certo. E esses arranjos incríveis, vocês fizeram juntos? Você lembra?
Na verdade esses arranjos eram feitos pelos dois, pelo João Ricardo e pelo Gerson. Depois, dentro do estúdio, a coisa se ampliou, mas basicamente nós ensaiávamos com dois violões e uma gaitinha durante um ano inteiro.

Amor

"Leve..." Isso é muito bonito. Essa música é muito bonita. Eu acho esse disco inteiro bonito até hoje... Essa eu tenho vontade de cantar ainda.

Devia cantar, essa música é incrível. Essa é uma das minhas prediletas. É um rock não é?
É... É a primeira do disco, primeiro rock do disco é essa aí. O segundo disco era mais rock que o primeiro, mas o segundo não teve o alcance do primeiro...

Eu me lembro quando entrou aquele clipe, acho que foi "Rosa de Hiroshima", ou "Sangue latino" no *Fantástico*.
Ah, nós gravamos duas músicas, foi o "Sangue latino" e "O vira".

Então foi "O vira", ali que teve a explosão mesmo, não é?
Ali nós ficamos conhecidos no Brasil, porque até então nós éramos já um fenômeno em São Paulo, mas ninguém conhecia a gente no Brasil.

O *Fantástico* deu uma visibilidade, não é?
Sim, isso é uma curiosidade. Quando nós chegamos pra gravar na TV Globo, tinha uma passagem assim de som e tal e aí alguém disse assim: "Não pode olhar para as câmeras". Aí eu disse: "mas eu vou olhar". Disse assim: "não pode olhar. É uma lei aqui, não pode olhar". Você podia ser visto pelo espectador, mas você não podia se comunicar pelos olhos. Disse: "mas eu vou olhar." E eu olhei. Então eu quebrei dentro da televisão uma coisa que era uma regra. Você não se comunica com quem está em casa visualmente, você só é assistido. Eu não me interessava em ficar sendo assistido. Eu queria que as pessoas me entendessem, eu queria que me vissem, eu queria que percebessem o que eu era.

Eu me lembro... Chegar bem próximo da lente.
Mas não podia, era uma coisa que não podia...

Você acha que a música se aproxima da poesia, como foi o caso do disco aqui?
Explicitamente.

Muita gente acha isso. É por isso que esse disco, ao mesmo tempo que tem a coisa singela para criança, ele tem a ca-

racterística de forte conteúdo poético. Essa é uma das coisas que facilitou o sucesso de vocês? **Porque ele podia ser absolutamente aceito por uma pessoa de qualquer nível e classe social, mais madura, mas também podia ser aceita por uma criança... O disco entrava nesse espaço...**
Sim. Agora, isso é o que traz a beleza ao disco, mas eu acho que ele correu o risco também de ser rejeitado pela massa, por achar muito intelectual e não foi, não é?

Por que você acha que não foi? Que ele foi um sucesso.
Eu acho que foi a coisa certa no momento certo, com as pessoas certas, com tudo certo. Está tudo certo com esse disco, não tem nada errado, sabe, não tem um senão que você diz assim: "isso aqui podia ser diferente". Tudo é certo, sabe? Então é a coisa, foi a coisa certa no momento certo. Então ele aconteceu realmente, merecidamente. Falo isso isento, porque eu não tenho nada... Eu não sou um compositor, eu não componho nada. Eu apenas me coloquei à disposição...

Você dava vida a isso...
Sim, sim. Eu estou falando objetivamente com relação a essa questão da poesia... Que não é uma coisa que me cabe, eu apenas me coloquei à disposição disso pra dizer essas coisas, não é?, pra dizer isso. Sempre tive enorme admiração por esse repertório desde o primeiro momento em que contato com ele tive.

Você se reconheceu aí nessas canções?
Eu achei que sim, que ele correspondia assim de alguma maneira aos meus ideais que eu não sabia nem quais eram, na hora que eu me deparei com eles disse assim: corresponde totalmente, no anseio artístico, estético, sabe? Ele representou isso pra mim.

Vamos falar disso então. Porque além da música, vamos falar um pouquinho do que aconteceu quando o disco vai pra rua. E essa capa também... Ela é representativa, revolucionária, inesquecível.

Sim. E tinha a agressividade necessária para o momento certo, né? Eram cabeças decepadas postas à disposição.

De quem foi a ideia? Conta um pouco a história da capa...

A ideia, olha... O João Ricardo viu umas fotos desse fotógrafo, Antonio Carlos Rodrigues, que tinha feito um ensaio com a mulher dele, a cabeça dela nos pratos, só que era uma outra, uma outra busca, não é? É... O João Ricardo trouxe a ideia e eu achei a ideia maravilhosa exatamente por isso, porque tinha uma coisa assim de... São João Batista, mas ao mesmo tempo tinha uma coisa agressiva para o momento que a gente vivia... Aquelas cabeças decepadas... E, ao mesmo tempo, ela não é trágica, ela não é gótica. Ela está misturada com arroz e feijão, com pão, com manteiga... Estamos sendo servidos como qualquer outra coisa que estava sendo servida ali. Então ela é bastante ambígua também.

Eu acho isso também, eu acho que faz parte disso que eu acabei de dizer, tudo, o contexto todo se juntou pra que tudo fosse uma coisa interessante que não nos mostrava, não nos mostrava...

É uma janela... Vocês tão lá fora...

Sim... Não nos mostrávamos...

Sem maquiagem...

Não nos mostrava.

Vocês estão com as cabeças na mesa. Como essa mesa foi construída, vocês estavam de costas, abaixados, sentados?

Essa mesa era em um lugar friíssimo, era numa noite gelada de São Paulo, essa mesa tinha quatro buracos. Nós estávamos — eu estava, os outros eu não sei, mas provavelmente devia ser a mesma situação – sentado em cima de dois tijolos, um frio absoluto aí de baixo, gelados de frio e em cima uma luz que quase cozinhava a gente e nós ficamos muitas horas da noite fazendo essa foto aí.

Vocês estavam sentados?
Sentados.

Foi fácil escolher essa foto?
Eu não me lembro de como se chegou a essa aí exatamente, porque isso aí já foi uma coisa que eu não participei, mas nós fizemos muitas fotos nessa mesa. Eu acho que essa foi pelo ângulo, pela questão do ângulo, sabe, que se prestava melhor pra história.

Tem uma coisa aqui que me chama atenção... Quem é essa quarta pessoa?
É o Marcelo Frias, ele era o baterista.

E essa faixa na cabeça?
É o meu lado bandoleiro, meu lado fronteira, meu lado...

Outsider? Sei lá... Eu já fiz zilhões de interpretações... Mas eu sempre olhei e falei mais que raio que foi colocar esse...
É meu lado fronteira, era uma coisa de fronteira, sabe, de...

Cigano? Alguma coisa desse tipo?
Bandido, que depois eu tive um disco chamado *Bandido*...

Primavera nos dentes

Isso não é rock, isso é jazz...

A introdução... Mais de um minuto...
É muito arrojado né? Para a época...

Está em um minuto, 50 segundos. Acho que vocês cantam a letra uma vez só.

Foi o que nós fizemos... "no centro da própria engrenagem inventa contra a mola que resiste" foi o que fizemos...

Você acha essa letra muito atual?

Acho. Sem ser panfletário, na verdade é um pensamento muito claro, não é? Político... Eu acho ela atual até hoje, como "Rosa de Hiroshima", infelizmente cada dia que passa, é mais. Hoje em dia nós não sabemos nas mãos de quem se encontra o plutônio, não é?

Assim assado

Aí também tem uma crítica né, que é uma coisa falando do guarda Belo, que era um desenho de revistinhas em quadrinho, mas que havia uma crítica à violência policial, né, era essa a mensagem...

"Manda-Chuva". Um desenho chamado "Manda-Chuva"...
Sim, e tinha o guarda Belo...

Essa é rock 'n' roll.
Essa é rock 'n' roll

Com gaita...
Com gaita. Há guerra ainda, 35 anos depois e ainda há guerra.

Incrivelmente atual essa letra. Curioso porque tem a letra, que é absolutamente atual, está carregada de mensagem política, mas tem um jeito, uma interpretação de vocês aí que insisto nessa coisa vocal, absolutamente irreverente.
Debochado, às vezes.

Debochado, irônico, irreverente. Vocês eram muito irônicos. E é uma arma poderosíssima... em tempos de repressão ironia talvez seja uma coisa muito poderosa...
É...

Quando o disco ficou pronto, dava pra saber, você imaginou que seria desse tamanho?
Não, o que foi, não. Não. Nós tínhamos, eu tinha plena confiança no disco, eu achava que ia acontecer sim, que saberiam de nós, mas nunca imaginei que fosse ser o que foi. Aquela proporção que foi, jamais, nenhum de nós envolvidos, nem nós, nem a gravadora, nem ninguém. Como é que podia se prever uma coisa dessas? Impossível.

Essa explosão de popularidade invadiu a privacidade de vocês...
Sim...

Que aí você passou a ser, mesmo sem maquiagem, todo mundo sabia quem era o Ney Matogrosso...
Não.

Como é que foi então?
Eu só liberei pra me fotografarem sem maquiagem muito tempo depois, quando eu comecei a perceber que as pessoas me reconheciam sem a maquiagem, eu tinha medo de ser agredido também e eu tinha medo de ser perturbado na minha privacidade, não é? Não era eu. Eu, no meu caso específico não era eu, era ele, o outro. Então eu fazia de conta que não era comigo. Tem uma história que eu vou contar pra vocês, eu já contei isso antes, eu... Uma vez eu ganhei uma viagem, eu ganhei um monte de dinheiro. Tinha um saco assim de papel cheio de dinheiro, aí eu fui num banco perto de casa pra depositar. Quando eu cheguei, e eu era assim hippie, né, hippie, rabo de cavalo, pulseira aqui de não sei o que, não sei o que lá, de macacão, todo rasgado, cheguei com aquele saco de dinheiro no banco, eu fui cercado pela segurança do banco. Me deram uma prensa, queriam saber onde eu tinha conseguido aquele dinheiro, disse: "Consegui com meu trabalho, ué. Vocês estão achando o quê?" Aí não me deixaram abrir a conta porque disseram que eu tinha que ter um fiador pra abrir a conta, disse: "Mas eu tenho um fiador pra abrir a conta". Eles não me deixaram abrir a conta. Aí eu disse, está bom. Cheguei em casa com aquele saco cheio de dinheiro, eu tinha três amigos que moravam comigo, que eram de Brasília que eu tinha chamado pra vir morar comigo, botei o saco lá na sala encostado, disse: "Aqui, ó. Quem quiser pode pegar, porque eu não pude abrir a conta, não tem banco, não tem conta no banco, está aqui. Vamos gastar". Gastamos tudo.

Gastou?
É. Gastamos. Gastamos tudo.

Vamos pra uma coisa importante aqui que a gente pode destrinchar. Quando você foi pra televisão e a televisão se viu obrigada a mostrar os Secos & Molhados...
Olha, há uma discussão... Um dia desses eu vi um desses camaradas aí que fica apresentando, um desses do *Fantástico*, eu não sei o nome dele. Um repórter do *Fantástico* dizendo que, nosso sucesso se deveu a apresentação no *Fantástico*. Quer dizer, a TV Globo sabia do que se tratava e botou, e aí ele, não me lembro o nome dele, mas é um desses aí que está todo domingo fazendo programas pelo Brasil inteiro, dizendo que não, que a TV Globo não assinou embaixo. Bom, então eu penso o seguinte: se não assinou embaixo, então foi meramente interesse em dinheiro, o que é pior, né? Porque nós íamos estourar, não tinha como não estourar, não tinha como não estourar e nós demos muito ibope pra TV Globo. Cada vez que a gente aparecia na TV Globo era um ibope. Então eu fico achando assim... Então era muito pior, porque se eles não foram, nos cederam esse espaço por um reconhecimento artístico e pelo significado do grupo no momento, foi puramente por dinheiro.

A Censura chegou a pegar no seu pé por causa da maneira como você cantava?
Sim, sim... Quer dizer, não assim diretamente comigo, de me vetar ou me proibir, né? Mas o primeiro programa de televisão que nós fizemos lá em São Paulo, eles implicaram com tudo, com o rabo de cavalo... Isso era assim, o Moracy me falava e eu dizia assim: "Oh, o rabo de cavalo, mas eu uso rabo de cavalo!". Aí tinha que explicar: "Olha, eu uso rabo de cavalo porque todos têm

cabelos enormes e o cabelo é muito valorizado, eu não quero valorizar o cabelo, então eu prendo o meu cabelo pra valorizar uma máscara... Mas eu ando na rua assim, então qual é o problema?". "Não, não, porque isso é coisa de mulher." Aí a maquiagem, ele disse: "Eu nunca vi uma mulher pintada com a cara inteira branca e os olhos pretos do nariz até os cabelos, eu nunca vi isso". Então... "Essa dança se requebrando dessa maneira..." Falei: "Não mostrem o requebro, não precisa mostrar". Aí a coisa mais grave: "e esse olhar?".

O que você disse?
Disse: "Ah, isso é ficção. Vocês estão falando de ficção pra mim". Eu sabia do que estavam falando, mas me fingi de morto, disse: "Olha eu não sei o que eu estava pensando nesse momento, portanto eu não sei que olhar é esse, porque eu não sei do que se tratava naquela hora". Mas eu sabia do que era, era um olhar muito incisivo, muito direto, muito agressivo para os padrões daquele momento, que você vê alguém olhar no olho e falar essas coisas...

Eu me lembro de uma apresentação especial, eu acho que era no primeiro disco ainda, não tenho certeza. Vocês na televisão do México.
Sim. É o primeiro. Nós fomos ao México pra fazer. Tinha lá um programa como o Silvio Santos que era assim uma tarde inteira, nós fomos lá pra fazer uma única apresentação, que era num domingo, foi tamanho o rebuliço na cidade do México que nó ficamos mais uma semana e fizemos novamente o programa, o disco foi naquela semana que nós ficamos ali, foi lançado em português, nunca um disco em português fez tanto sucesso no México como o Secos & Molhados... E nós nunca mais voltamos lá, nem eles, nem eu. Eu voltei muitos anos depois com o Rafael Rabello.

O que aconteceu na TV mexicana? Assim... foi um *medley* que vocês fizeram, se eu não me engano.
Foi. Foi o "Sangue latino" e "O vira", foram as duas músicas.

Você lembra da reação do público mexicano...
Não, eu ouvia no rádio e eles falavam assim... Eu não me lembro qual é a palavra que eles usam pra homossexual, era uma coisa assim... "Mas é verdade que ele é?" Tudo passava por aí, mas era uma coisa muito louca, porque nós fizemos uma entrevista para a imprensa mesmo no hotel que a gente estava, aí pediram que a gente fosse fazer a entrevista caracterizados. Eu usava na época umas unhas de metal desse tamanho, não sei se você lembra dessas unhas...

Estou lembrando muito bem, essa é uma imagem que eu não vou esquecer nunca.
Então nós sentamos à mesa, primeiro chegamos cantando, aí eu subi em cima da mesa, comecei a dançar em cima da mesa. Quando nós sentamos pra dar entrevista, eu ficava riscando a mesa assim com as unhas e olhando na cara deles e riscando a mesa com as unhas e eles não entendiam e disse assim: "Você é bruxo? Você é feiticeiro?" Eu disse: "sou". Não era nada, eu tava curtindo com a cara deles riscando a mesa com aquelas unhas de metal, sabe? Ué. Loucura, loucura e meia, né? Loucura, loucura e meia. Se eu tinha que dar uma entrevista fantasiado, eu ia me fazer de louco, não é?

Personagem...
Sim. Ele achava que eu era um feiticeiro. Que eu fazia, sei lá o quê, vodu...

Lembro essa apresentação do México marcou muito. Lembro na televisão era alguma coisa do tipo "os Secos & Molhados, além do sucesso no Brasil estão fazendo sucesso em toda América Latina e agora estão no México divulgando seu disco" e você está confirmando.
Sim, sim.

E acredito que naquele momento você, com esse figurino já bem mais desenvolvido...
Sim, mais desenvolvido, mais desenvolvido...

É como se você estivesse levando aquilo às últimas consequências, como se tivesse cada vez mais...
Mas eram as últimas consequências... Sim, eram as últimas consequências tanto que, imagina, nunca fiz isso aqui no Brasil, dar uma entrevista vestido, ficar riscando mesa com unha... Isso era uma coisa que lá eram as últimas consequências. Já que eles me viam dessa maneira, como um...

Um mágico talvez?
É. Disse: Ah, tudo bem. Vou curtir em cima disso, né, porque eles estão acreditando, né?

Então, tem uma coisa que a gente pode também aqui desmentir. Muita gente falava o seguinte: "Ah, o Secos & Molhados, essa coisa andrógena deles veio da Inglaterra com David Bowie, com Marc Bolan", tinha uma coisa naquele momento no rock inglês...
Existia isso no mundo. Eu acho que era um momento em que isso se aflorava, eu não tinha, vou confessar pra vocês, eu não tinha informação, não se esqueça que eu era um hippie, eu não

tinha um rádio, eu não tinha uma televisão, eu não tinha nada, eu não tinha informação do que acontecia no mundo. Eu era um ser à parte, à margem, por opção. Eu vivia à margem da sociedade por opção, eu não queria fazer parte daquilo. Então eu não tinha acesso a essas coisas, claro, certamente eu ouvi falar de David Bowie, eu ouvir falar de Mick Jagger, mas você não se esqueça que a informação chegava muito atrasada no Brasil.

Sim...
Então, quando eu fui fazer aquilo, quando eu me propus àquilo eu não sabia de nada disso, de androgenia, tanto que a primeira vez que falaram que eu era andrógino eu não sabia nem o que era. Eu disse: "Gente, o que é andrógino?"... "Ah, é isso? Tá, se aproximaram bastante". Porque a ideia era essa, sabe, era não ser nenhuma coisa, nem outra, ser uma coisa e outra, né... Então... Mas eu não era isso. Aí disseram que nó imitamos o Kiss. Basta ver, vai lá compra o disco do Kiss vê quando ele foi lançado. Foi depois que nós fomos ao México. Porque nós saímos em página inteira de uma revista dedicada a música, uma revista americana, com foto nossa, os camaradas foram no México, queriam me tirar do Secos & Molhados e me levar. Eles disseram para mim, três empresários americanos via o empresário mexicano, "a imagem é muito boa, mas o som tem que ser mais pesado". Eu disse: "Não me interessa, não me interessa. Eu estou começando uma coisa no Brasil, me interessa fazer no Brasil, eu não quero sair do Brasil, só isso". Alguns meses depois eles tinham a imagem baseada em nós. Quando eu acabava de cantar "O vira", eu colocava a língua pra fora. Virou uma marca registrada deles. Eu tenho fotos no meu site, se você quiser você entra lá e veja que eu mandei botar assim: "Antes do Kiss".

Então é verdade essa história de que você foi, você e o Gerson e o João foram convidados a fazer um trabalho fora do Brasil, ou só você?

Os outros eu não sei, o camarada falou comigo, sozinho. Me chamou num canto e falou comigo sozinho. Eu disse: "Olha, eu não tenho interesse, inclusive eu não quero virar Carmem Miranda". Eu falei isso pra ele. Quer dizer, foi uma traição do empresário espanhol, mexicano, não é? Porque ele foi intermediário de uma coisa que era pra desfazer o Secos & Molhados, eu ia ficar pra lá, eu ir pra lá. Eu jamais iria, não tenho interesse lá.

E quanto a essa provocação, a reação das pessoas… Você gostava que as pessoas se sentissem incomodadas ou questionassem o padrão de caretice, de conservadorismo? O que você achava? Ou era apenas uma coisa natural sua?

Era natural, era natural. Passou a ser elaborado na medida em que eu vi que atingia um objetivo, que era tirar as pessoas daquela mesmice, entenderem que existiam pessoas diferentes no mundo, não é? Que o mundo não era feito só por pessoas iguais, que existiam pessoas diferentes, que essas pessoas diferentes podiam se expressar e mais, eu dizia nas entrevistas: "Não se satisfaçam com a minha manifestação. Vocês podem. Vocês podem ser tão independentes quanto eu sou e podem se expressar com a mesma liberdade com a qual eu me expresso, basta que queiram. Não apenas me usem como válvula de escape, não é?".

Você está dizendo que fez teatro antes, mas a impressão de quem está do lado de fora, como eu que fui da plateia, é que quando você chegou ali no Secos & Molhados, apesar dos 31 anos, já tinha muito de expressão corporal, sabia como se expressar, rebolar, dançar, provocar, instigar, da forma que

fosse, com irreverência, com sexualidade, com sensualidade. Já entendi que a intuição é uma coisa muito forte na tua personalidade. **Mas quem está assistindo pensa "essa pessoa fez muito, dançou balé muito tempo, se preparou muito pra fazer o que ele está fazendo, porque o que ele faz aí é muito difícil..."**
Imagina. Eu leio que eu sou dançarino. Eu não sou dançarino. O meu treino de me expressar fisicamente foi aquele lá no escuro do teatro Ruth Escobar, ouvindo a banda tocar lá para nossa peça e eu doidão ficava dançando e descobri que eu tinha uma possibilidade de me expressar fisicamente, que eu poderia reproduzir com o meu corpo o que eu ouvia, eu podia liberar o meu corpo, liberar inclusive os meus quadris, eu podia liberar tudo, eu podia tudo, sabe, foi isso que eu entendi e eu não sou dançarino, eu não tenho técnica nenhuma, eu sou uma pessoa que se largou nesse momento e foi dançar.

Seu biotipo favorece isso, nã é?
Sim, sempre fui magrinho, sempre tive músculos. Eu vejo fotos da época, a minha barriga era uma beleza, sabe...

Era incrível, né?
Sim, e isso sem nenhuma, imagina, você acha que existia ginástica no mundo? Ninguém tava preocupado com ginástica, malhação, isso não existia, né. Imagina... Não existia nada, era tudo soltar, sabe? E eu acredito que todo mundo pode mesmo, eu acredito que todo mundo pode mesmo. Eu não sou uma exceção não. E porque eu me arrisquei, eu ousei e fui atrás e liberei e fui e fiz, mas eu acho que qualquer pessoa é capaz.

E quando parava na frente do espelho, você se achava bonito, você gostava assim do que você via? Falava: "vou impactar, vou acabar com a plateia"?

Não. Não existia, não tinha essa preparação. Isso não existia.

Por que? O que acontecia?

Eu sempre entendi o seguinte: eu não tinha um corpo perfeito, eu sempre tive essa noção muito clara. Mas eu tinha ângulos do meu corpo que se eu mostrasse determinados ângulos ele funcionava muito bem.

Barriga, principalmente.

Tanto que as minhas roupas eram aqui embaixo, né, e eu percebia depois que eu comecei a ver as fotos porque no início eu não tinha nem noção disso, mas quando eu comecei a ver as fotos eu percebia que quanto mais torcido ficasse o meu corpo, mais músculos ficavam em evidência. Então eu fazia contorcionismo praticamente, porque aí era uma coisa que eu já buscava mesmo. Eu não era um bailarino, um dançarino. Eu queria muito mais que meu corpo expressasse outras coisas, sabe, que fosse outras coisas. Então pelas fotos eu vi quais eram os músculos que mais se destacavam, quais poderiam aparecer melhor. Eu tinha uma coisa aqui, daqui que era interessante de ser visto, entendeu? E eu exibia muito isso, eu tinha uma barriga que podia ser vista. Agora, eu tinha pernas que não eram o meu forte. Então as pernas eu tinha uns disfarces... Eu tomei consciência do meu corpo a partir dali. Sendo que, até chegar aos Secos & Molhados, eu era uma pessoa muito problemática com relação a físico.

Jura?

Sim. Eu fui um adolescente que vivia com a mão no bolso, porque eu não queria que ninguém visse minhas mãos, porque eu tinha vergonha das minhas mãos, eu tinha vergonha dos meus pés. Eu era incapaz de tirar a camisa na frente de quem quer que fosse.

Falando nisso, do corpo, que era uma questão fundamental ali, talvez o maior *front management* da sua geração é você. É a cara que está à frente da banda catalisando e concentrando a atenção das pessoas. Eu digo isso porque, no show do Maracanãzinho, a impressão que dá quando a gente assiste é que o público está hipnotizado e que você é quase uma entidade, quando você sobe com aquela roupa.

Sim, mas eu tenho então que te contar o que aconteceu exatamente antes da "Rosa de Hiroshima", porque ali existia uma coisa a mais. Nós começamos a fazer o show, e o público do Maracanãzinho não podia chegar até nós. Então nós estávamos assim, cercados de policiais. E o público lá, o público querendo chegar e eles reprimindo e o público querendo chegar e eles reprimindo. Aí teve uma hora que eles começaram a bater, quando eles começaram a bater eu disse assim: "Que merda é essa?" Eles cortaram meu som, cortaram meu som. Aí eu botei as mãos pra trás. Disseram: "Canta". E eu disse: "Não canto". E o Paulinho pode te contar isso, o Paulinho estava lá. O público começou a jogar moedas na polícia e eles liberaram o público pra descer. Depois que eles liberaram o público pra descer eu comecei a cantar "Rosa de Hiroshima". Então especialmente nessa "Rosa de Hiroshima" que tem ali na gravação, que é a única gravação que tem da TV Globo, porque eu não vejo outra daquilo ali, é "Rosa de Hiroshima" e "O vira", né?

Acho que sim.

Porque tinha acabado de acontecer isso, então tinha uma coisa desafiadora da minha parte àquelas autoridades ali, sabe...

Como foi com o sucesso do primeiro disco? Vocês partiram pro segundo disco em que condições?

As mais precárias possíveis. Primeiro, eu já tinha saído. Quando nós chegamos pro estúdio pra gravar o segundo disco, eu já não estava mais, eu já tinha dito que eu estava fora. A gravadora me pediu que não oficializasse porque ia prejudicar o lançamento do disco. Aí eu me comprometi com eles a segurar isso até o lançamento do disco e foi o que eu fiz. Cumpri a minha palavra, quando nós chegamos no Rio de Janeiro, que viemos gravar as duas músicas do segundo lançamento, eu oficializei a minha saída do grupo. Eu não estava mais ali, quando nós gravamos o segundo disco eu já não estava mais, já tinha dito que eu estava fora.

Mas você gravou e disse que ia sair, ou disse que ia sair e gravou?

Durante a gravação já estava uma coisa toda torta.

Não estava bom o clima?

Não. E aí eu já tinha avisado a eles que eu estava fora... Aí me chamaram na gravadora, me chamaram não sei o que pra conversar comigo, pediram que eu não dissesse que eu não estava mais, eu disse: "Mas eu não estou mais!". "Mas segura isso até o lançamento." Eu disse: "Tá bom, vou segurar até o lançamento". No lançamento eu oficializei a história. Mas eu acho que não ia dar certo na continuidade não. Eu acho que eu saí no momento certo, porque ninguém queria ensaiar, todos já estavam deitados sobre os louros, achando que tudo já estava conquistado e eu não sou desses. Eu sou trabalhador, sabe, eu queria ensaiar e ninguém queria ensaiar. Dizia assim: "Pô, mas nós vamos fazer a mesma coisa, vamos chegar lá vamos apresentar a mesma coisa que a gente tem feito". Nós temos que mostrar outra coisa, mas ninguém queria saber de ensaio. Aí eu saí em agosto de 1974 e, em março de 1975, eu lancei o meu primeiro disco solo.

O sucesso do primeiro disco, do jeito que foi e do tamanho que foi, de certa forma influenciou na união de vocês? Vocês deixaram de ser amigos? Por que isso aconteceu?
Olha, a primeira coisa assim que mudou rapidamente foi quando o dinheiro começou a entrar. Tudo que havia de idealizado, deixou de existir, tudo que havia sido combinado, deixou de ser combinado. O combinado era tudo dividido exatamente igual entre os três. A partir do momento que isso não foi mais cumprido, começou a desandar e comecei a ver muita coisa e eu avisava... Eu avisava tudo que eu estava vendo. "Vocês tão pensando que eu não estou vendo? Eu estou vendo", sabe? Agora, também quero aproveitar essa oportunidade e dizer o seguinte: eu não tenho nenhum sentimento negativo dentro da minha pessoa guardado com relação ao João Ricardo, porque as pessoas pensam que eu odeio ele, eu não odeio o João Ricardo, pelo contrário, eu sou grato a ele. Graças a ele eu pude iniciar uma carreira artística que provavelmente teria demorado mais se não fosse via Secos & Molhados e sou muito grato por ter surgido no Brasil como artista dentro dos Secos & Molhados. Então houve, claro, um entrevero entre nós, houve desentendimento, mas eu não tenho nenhum rancor, ressentimento. Volta e meia a televisão vem, chega em mim e aborda essa temática dessa separação e isso vai gerando uma coisa que parece que eu tenho um sentimento... Não tenho. Não tenho mesmo. Não tenho nenhum sentimento negativo.

Qual era o papel do Gerson ali no triângulo?
Na verdade, o Gerson foi obrigado a participar dos Secos & Molhados. Ele, em alguns momentos antes, ele não quis, sabe, mas ele, era muito amigo do João Ricardo, e o João Ricardo tinha muita ascendência sobre ele. Em alguns momentos ouvi o Gerson dizer que não tava mais a fim, o João dizer que ele tinha que continuar, que ele tinha que fazer... Eu acho que o Gerson não ocupava o espaço que ele poderia ter ocupado mais, não é? Mas aí era uma questão que eu, eu subverti muito a história ali... Porque eu não posso, não podia conviver com aquilo, vendo uma pessoa sendo submetida à outra, sabe. E eu disse: "Não. Está errado Gerson, não pode. Isso está errado, você não pode se submeter, você tem que dizer o que você pensa, você tem que falar o que você acha das coisas. Você não tem que obedecer". Mas era dele, ele não discutia, sabe, ele não discutia.

Como você vê o disco hoje? O que você acha dele agora?
Eu acho ele lindo. Adoro ouvir esse disco, ouço ele muito.

E por que você acha que ele se tornou um dos maiores clássicos da música brasileira de todos os tempos? O que faz desse disco tão especial?
Ah, é aquilo que eu já falei lá no comecinho. Foi toda uma conjuntura, sabe, uma conjuntura no momento certo, no país certo, na hora certa, com as pessoas certas, o repertório certo, tudo certo. Isso é uma conjunção astral que organiza uma coisa dessas.

Muito obrigado por uma entrevista incrível.
Obrigado a você ○

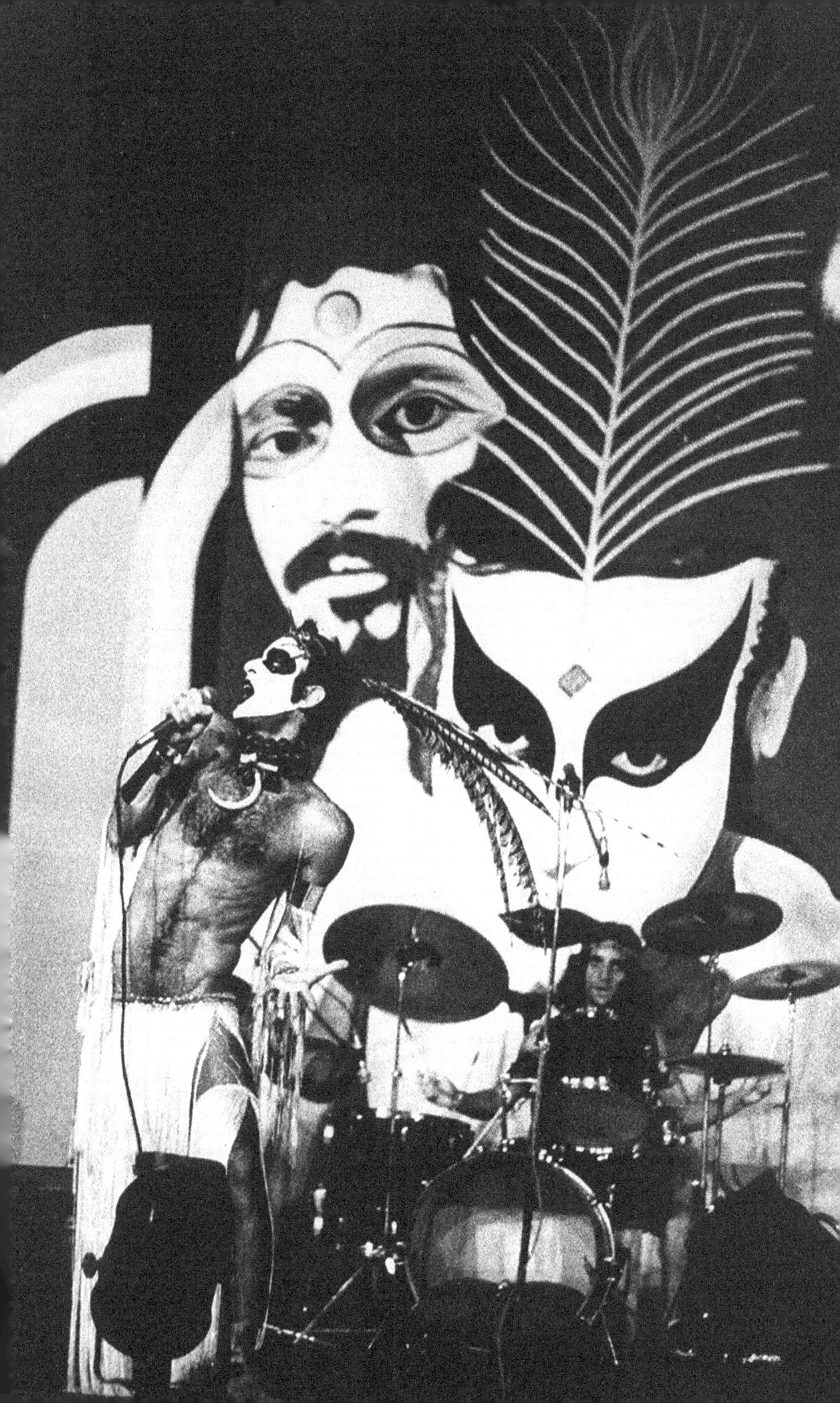

Gerson Conrad

Gerson, conta para gente como e quando você se interessou por música, composição e violão.

Isso começou dentro de casa. A gente foi criado, eu minha irmã especificamente, nós somos criados dentro de um seio familiar que as pessoas gostavam muito de música, por exemplo, meu avô, por parte de pai, tocava violino, era violinista, austríaco violinista, e por parte de mãe que foi a influência maior, meu avô Francisco Zaccaro, ele era um tenor. Então ele cantava óperas e chegou a cantar uma coisa quase que profissional na década de 1930, 40 aqui no Brasil. Minha tia Nadir Zaccaro foi uma exímia pianista de mão cheia também, que chegou a ter um certo nome também nos anos 1940, 50, assim, e depois acabaram, sabe assim, saindo um pouco de fora da mídia da época e passaram a ser pessoas mortais, comuns, mas assim, o intuito ficou dentro de casa, então era uma prioridade de educação. Quer dizer, eu me lembro de minha mãe ter falado o seguinte, olha: fundamental você escolher um instrumento, porque um instrumento você vai tocar, sabe, não interessava qual, aí eu comecei com piano, por influência da minha tia evidentemente, minha irmã também tocava piano, quer dizer, um adendo aí, minha avó, mãe da minha mãe, minha avó chegou a estudar, que ela contava quando era criança que não tinha o instrumento e desenhava o teclado e ficava sabe: mi, dó, dó, ré, mi, dó, dó, mi, ré, dó, dó, sabe, um negócio superentretido.[67] Então todos tocavam, tinham noção musical grande, e eu comecei com piano, mas daí aos oito, nove anos de idade e por algum motivo, acho que rebeldia até, sabe, assim eu acabei me cansando um pouco do esquema quase que militaresco de obrigação sabe, de ter que estudar aquele instrumento e uns dias eu cabulei uma aula e quebrei o meu braço e culpei evidentemente o piano. Quebrei o meu braço direito jogando bola com amigos e daí culpei literalmente o piano, aí minha mãe falou: ótimo, então tá, você não quer o piano, então escolhe outro instrumento, que foi quando eu caí pro violão, aí como castigo eu recebi Juan Mateo, que foi um mestre que era discípulo de Segovia, que estava morando no Brasil, exilado político. Inclusive naquela coisa da Espanha, na época desses anos de 1950, 60, ele havia vindo pro Brasil e ele era um discípulo realmente de Segovia e o pai dele já era um muquirana na Espanha e minha mãe e meu pai me colocaram para estudar, sabe assim, eu comecei a ter noção de violão com base na escola de Tárrega que muitos confundem, acham que ela é tipicamente Flamenco, não, não é, ela tem muito do clássico, aliás, a formação inicial é muito mais clássica do que Flamenca. O Flamenco você vai posterior à iniciação pelo clássico, e eu comecei a estudar e estudei daí então dos 11 aos 16 anos de idade, que foi quando eu me encantei com aquela coisa do popular, do qual me arrependo amargamente porque eu briguei com Juan Mateo nessa época falando assim: "Pô, eu não quero ser um virtuoso, sabe eu quero simplesmente tocar", e hoje eu me arrependo um pouco, né, porque não sabia que naquela época que ia trabalhar com música e tal, então, mas eu seguro a onda legal, sabe como é que é, as pessoas que tocam comigo sempre elogiam, sempre, sabe, no instrumento não fala mal de ninguém.

E como foram as experiências que você teve antes de chegar até conhecer os outros rapazes assim?
Então, musicalmente, para te falar a verdade, os Secos & Molhados foi o meu primeiro tropeço e aconteceu, quer dizer, na verda-

de assim, claro, aos 16 anos de idade, entusiasmado com essa coisa, com Beatles, com Stones e aquela coisa toda típica do final dos anos 1960, 70, muitos amigos já estavam saindo com grupos e fazendo aquela coisa de "vamos tocar na garagem de casa", era bem típico, inclusive aqui de São Paulo isso. Quer dizer, todo mundo começou numa garagem, e nessa época eu morava aqui no Bela Vista, propriamente Bexiga, ainda aquela confluência ali da Alameda Ribeirão Preto e o meu prédio, na época foi um marco, porque ele era um prédio moderno, sabe assim, pros moldes de São Paulo e pro tipo de construção que estava começando a crescer ali, então ele foi uma concentração, sabe, de agregados de vizinhos do bairro, né, porque tinha assim, uma infraestrutura de salão de festas e quadra de esportes, esse tipo de coisa e foi exatamente aí, nessa turminha do prédio que eu conheci o João Ricardo, que havia chegado fazia pouco de Portugal com a família, e que eram...

Ele morava ali perto...?

Eles moravam assim, na mesma rua, eu não me lembro exatamente o número, mas o número do meu prédio acho que era 86 e ele morava no 110, na mesma calçada, só que num sobradinho que ainda deve persistir ali no, hoje em dia acho que nem existe mais os sobrados naquela região. Daí trocando ideia assim, conhecendo o João Ricardo, eu já tocava, eu já exibia os meus dotes violonísticos para garotada do prédio né, porque sempre tem alguém que se destaca, "o Gerson toca e tal não sei o quê", e quando me deparei com o João, "Pô, que legal, você toca", e sabe, a gente perdeu assim, uma tarde falando em sonhos e Beatles e sucessos e tal, e ficou um compromisso já aos 16 para 17 anos, isso foi mais ou menos em 1969, 70 que com João Ricardo um dia nós faríamos alguma coisa, sabe, juntos e que aconteceria, e a coisa veio muito rápido, exatamente pelo contato, pela amizade, quando foi em 1971, quando eu havia me livrado do terror de ter que ser, sabe, talvez ter que cumprir com o regime militar, com o CPOR ou aquilo que o valha, né, eu estava entrando em faculdade, o João pegou e fez assim, "Pô, tá na hora da gente, sabe, botar aquele papo em dia", falei: "Claro, por que não?", e o Secos & Molhados nasceu exatamente aí, sabe assim, numa coisa descompromissada de dois amigos que tinham a música em comum, que gostavam muito, que apreciavam o mesmo tipo de som que rolava na época, de interesses em comum, e nos propusemos a trabalhar descompromissadamente, e a gente começou o Secos & Molhados, quer dizer, não como Secos & Molhados, até tinha um nome muito engraçado, porque a primeira formação chamava-se Erick Expedição, é, era o E de Eduardo, o Rick de Ricardo e teoricamente o C de Conrad e ficava na expedição...

Erick?
Erick, é, aí era um percussionista e dois violões, que eram eu e João Ricardo que fazemos, mas aí esse projeto evidentemente evoluiu para o que viria ser o Secos & Molhados, aí apareceu na época uma primeira oportunidade que foi o Kurtisso Negro, era um bar na Rua dos Ingleses, aliás, não, na Rua dos Ingleses, esqueci agora, não sei o que Rocha ali, sei lá...

Tudo ali no Bexiga?
Ali no Bexiga, que era de dois jornalistas amigos já do João Ricardo, que também já faziam Jornalismo nessa época, e eles montaram o Kurtisso Negro. Era uma espécie de uma boatezinha, sabe, de um café qualquer coisa, e começaram a acontecer shows e o João recebeu um convite para tocar lá à noite, aí nós, foi a primeira incursão, sabe, como dupla, daí logo nessa assim, depois de uma primeira apresentação, João ficou conhecendo

Pitoco, que era um violonista paulistano e tal, e corredor, a gente se encantou com o som do Pitoco e tentou alguma coisa com Pitoco, eu saí de cena, mas daí na sequência, sabe assim, quando voltamos ele já foi com a proposta do Secos & Molhados propriamente dito. E quando nós iniciamos o projeto de elaborar o Secos & Molhados, a gente tinha em mente o seguinte: que nós queríamos fazer um trabalho autoral, onde a gente não ficasse preso a modismos, e tínhamos desde um primeiro intuito assim, de um primeiro contato que nós tínhamos como opção de achar alguém que cantasse, né, não sabíamos evidentemente que esse alguém seria o Ney né, que foi nos apresentado pela Luhli, da dupla Luhli e Lucina na época, e que havia vindo para São Paulo para tocar no Kurtisso Negro, fazer uma temporada de quarta a domingo, ficamos conhecendo a Luhli no Kurtisso Negro, comentamos que precisávamos de alguém que fosse um "lead singer" e ela falou assim, olha, eu tenho um cara no Rio de Janeiro que é o Ney Matogrosso. Aí nós saímos no dia primeiro de outubro, se não me falha a memória, de 1971, e fomos de ônibus leito pro Rio de Janeiro e amanhecemos no morro de Santa Teresa por volta de seis e meia da manhã tocando violão embaixo da janela da Luhli para conhecer o tal do cara que ela dizia. Aí Luhli nos recebeu logo cedo, descansamos um pouco e tal, nesse mesmo dia que foi esse primeiro de outubro de 71, o Ney apareceu por volta de quinze para as sete da noite, aí colocamos a ideia do trabalho. Ele falou assim, eu topo, só que ele demorou entre esse eu topo e a vinda dele para São Paulo exatamente onze meses, aí um dia que a gente até já tinha, sabe, quase que desistido, ele toca a campainha de casa e fala assim: cheguei para ficar, cadê o trabalho? Aí a gente ensaiou de 1972, mais ou menos nessa época, outubro, novembro de 72, aliás, minto, isso foi em 70, eu tô jogando, quer dizer...

Volta.

Dá um regresso aí na fita, 1970, primeiro de outubro de 70 quando nós fomos ao Rio, o Ney chegou mais ou menos em outubro, novembro de 71 e daí a gente ensaiou entre 71 e 72, um ano né, dividindo, evidentemente, afazeres. O Ney, nessa época, ele vivia de artesanato e trabalhava como ator, eu estava no meu processo maluco de faculdade já, cursando o segundo para terceiro ano de faculdade de Arquitetura, o João Ricardo fazia Jornalismo, assim meio *freelancer*, mas fazia de uma certa forma junto, acho que na *Folha de S. Paulo* ou *Diários Associados*, não me lembro exatamente, e durante esse ano a gente se encontrava durante a semana para elaborar o que viria a ser Secos & Molhados. Quando chegou dezembro de 1972, que foi exatamente em dezembro de 72, tivemos a oportunidade de apresentar pela primeira vez o trabalho que até então nós vínhamos ensaiando só com violões e vocal, na Casa de Badalação e Tédio, também ali no Bexiga, esse sim, na Rua dos Ingleses, que era no teatro Ruth Escobar, que era sala, na verdade era o térreo ali, a Sala do Meio que eles chamavam...

Ali mesmo.

...que havia virado um café concerto né, chamado Casa de Badalação e Tédio. Nós estreamos assim no, na semana acho que entre 5 e 12 de dezembro, seria, só que foi uma loucura, nessa época. Então, na Casa de Badalação e Tédio, quando a gente estreou, o Ney fazia uma, Ney Matogrosso fazia uma peça de teatro que estava acontecendo numa das salas do teatro, lá do Ruth Escobar, ele fazia, chamava-se *A Viagem*, a peça, era extraída do, sobre Os Lusíadas, de um trecho da obra de Camões, e o Ney fazia o papel de um marinheiro, assim, era figurante na verdade, não tinha nenhum papel de expressão, e no dia da nossa estreia, na Casa de Badalação e Tédio, o espetáculo de teatro atrasou e o Ney quando subiu, subiu com o rosto sujo da maquiagem de teatro que ele usava, aí ele falou assim: "A coisa tá atrasada, não dá tempo de tirar essa pasta toda do rosto". Aí a Luhli, que tinha vindo do Rio para nos prestigiar, ela trazia providencialmente purpurina, sabe, na bolsa, e falou assim: "olha eu to trazendo, tem isso aqui porque o Claudio Tovar, o Paulinho Mendonça, e tal não sei o quê, estão com espetáculo no Rio, sabe assim, muito colorido, muito brilho, chamado *Jardim das Borboletas*. Por que, ao invés de tirar vocês não brincam com essa coisa". E a maquiagem do Secos & Molhados nasceu de uma certa forma assim. Claro, a gente já vinha estudando isso, amadurecendo isso, como a ideia do Secos & Molhados era trabalhar com uma proposta de literatura muito forte, tanto que musicamos poetas, mas a linguagem teatral era marca também, né, era uma coisa que a gente vinha amadurecendo e vinha estudando e a máscara...

Mas como que essa ideia apareceu? Por que ela apareceu, como que vocês acharam que isso, era bom ter isso no trabalho de vocês, como que apareceu?
Exatamente isso, assim, a gente começou com a ideia da máscara do teatro grego mesmo, que é aquela da coisa que não, não é que impedia movimento de mão, daí a coisa do teatro Nô japonês, que era uma coisa mais agressiva, mais colorida, mas já era mais de movimento fixo, e nada até então, sabe assim, era muito, como que se diz, *brainstorming*, mas nada que acontecesse realmente como definitivo, né, o que aconteceu como definitivo foi puramente casual que eu falava nesse momento. O Ney subiu com o rosto sujo de graxa e a Luhli falou assim, não tire isso, jogue um brilho nisso, jogou a purpurina na mão dele, e para que ele não entrasse sozinho, né, em cena com aquela coisa, nós nos, sabe, improvisamos uma maquiagem qualquer, com aquela purpurina,

e o que eu sei, que eu tenho na minha memória é que o choque de público foi tão grande quando nos viu com aqueles rostos todos pintados que no dia seguinte a gente tinha o dobro de pessoas para nos ver. E aí a temporada que viria entre 5 e 12, sei lá, já não me lembro exatamente, porque a gente começou numa quarta-feira, dia cinco de dezembro e faríamos teoricamente duas semanas, a coisa foi tão maluca que interrompeu aquele período natal e fim de ano, né, e nós voltamos para casa de Badalação e Tédio em janeiro, logo no começo do ano para dar continuidade ao sucesso que já estava fazendo os Secos & Molhados, sabe, logo desde o primeiro momento.

E o que tinha nesse show, qual era o repertório?

O repertório, algumas coisas assim que fizeram parte desse disco, que a gente havia musicado alguns poemas, algumas coisas que não foram gravadas, que vieram a ser gravadas depois numa outra fase pelo João Ricardo, que foi aqueles poemas que foram proibidos na época do "Tem gente com fome", sabe? Enfim, uma série de outras coisinhas, mas o repertório não era muito diferente já desse, do que a gente chegou a registrar em disco, não. O que houve foi assim, que nós convidamos, o grupo na verdade era um trio, né, eram dois violões, a gaita do João Ricardo e um belo vocal que a gente havia programado desde o primeiro encontro, mas aí para a estreia no Casa de Badalação e Tédio a gente convidou na época o Tato Fischer, que era tecladista e amigo nosso, e o Sergio Rosadas, que acabou depois ficando parte da banda, do Secos & Molhados, que era o Gripa, flautista, para dar um brilho. Porque até então nos nossos ensaios eu tocava uma flauta doce, só de vez em quando, quando o João tocava violão, mas eu nunca fui um exímio flautista. Eu misturava sons, porque eu não alcançava, mais imitando do que propriamente tirando da flauta, né, aí a partir desse momento, quer dizer, que a gente deu essa roupagem de piano e tal, é que o grupo começou a tomar cara. Nesse meio tempo, não me lembro se foi exatamente na estreia do Casa de Badalação e Tédio que coincidiu do Moracy Do Val, que viria a ser o nosso empresário depois, assistir ao espetáculo e ele ficou encantado com o que viu, e foi ele que nos levou para a Continental. A gente já entrou, na verdade em 1973, com projeto de que iríamos gravar, não sabíamos onde, por que selo, por que gravadora, mas nós iríamos gravar certamente, porque já estávamos trabalhando com Moracy nessa época, né?

Vamos voltar um pouquinho no tempo?
Vamos.

Você delineou bem assim, tem umas coisas que queria perguntar, quando você encontrou o João Ricardo, no começo dos anos 70, você falou ali, a gente conversava sobre sons, histórias, ideais, havia todo um clima, até porque a gente passava por um momento dificílimo, politicamente... Se coloca numa outra posição, naturalmente, mas o que eu queria dizer, queria que você falasse um pouco disso, isso é importante, porque hoje em dia as coisas são bem diferentes, esse clima de sons... O que era Hendrix, Woodstock...?
A nossa praia envolvia tudo isso, a gente era muito beatlemaníaco, né, tanto eu quanto João Ricardo, mas aquele beatlemaníaco de carteirinha. João chegava a estudar trejeitos e fotografias do Paul McCartney e usava cabelinho *à la* Paul McCartney, né, sabe aquela coisa assim maluca, mas a gente se deparou também com aquela revolução que já vinha vindo do início dos anos 70 na verdade, de som que foi Crosby, Stills, Nash & Young, por exemplo. Sabe que isso me fascinou, o dia em que eu conheci Crosby Stills

eu deixei de ouvir Beatles durante um bom tempo. Eu me lembro, sabe assim, não era mais o preferido, não era aquele preferencial da vitrola na época.

Eles foram importantes?
Foram muito, principalmente. Paul Simon, Simon e Garfunkel, por exemplo, o João Ricardo gostava muito do Dylan, sabe, eu não era muito fanático pelo Dylan, mas ele achava fascinante o som do Dylan e tal, eu não sou um expert Dylan, até hoje, eu gosto, conheço evidentemente a obra, mas não foi o que me marcou muito. Foi assim, sabe, Crosby, Stills, Nash.

Você acha, isso me leva a uma outra pergunta. Desculpe te interromper, porque eu achei que vocês tivessem uma ponte pro Paul Simon, Garfunkel, ou com Crosby e até com Richie Havens?
Ah sim, Richie Havens...

De Woodstock, que tem uma ligação na verdade. A música Folk sempre teve uma ligação com a poesia, né?
Muito, muito forte.

Sempre teve, não sei qual a explicação para isso aqui, mas o Bob Dylan sempre teve ligações com os poetas assim, e vocês sempre tiveram isso. É como se vocês fossem a ala tupiniquim desse tipo de...
Eu tenho impressão, eu costumo falar, sabe, Charles, assim: quando me perguntam: "ah, mas vocês se inspiravam em quem e tal não sei o que", é engraçado, hoje eu estou com 55 anos e cada vez mais eu me convenço disso, a gente fez parte de um processo. Eu não sei se acontece a todo momento porque não sou expert

nisso, mas é aquela coisa do inconsciente coletivo, que o Jung falava, né, eu acho que os anos 60, 70, vibravam numa frequência que levou a esse mundo que a gente tem esse referencial hoje. Não é que Secos & Molhados de repente saiu na frente, eu acho que, sabe, que a gente captou essas informações, a gente conseguiu filtrar e canalizar isso para um resultado que foi Secos & Molhados, porque você vê assim, paralelo a Secos & Molhados já estava acontecendo David Bowie, Alice Cooper, sabe a coisa do glitter, que foi gritante nos anos 1970 e a gente entrou meio sem pé nessa brincadeira, entendeu, não tinha muito, quer dizer, a maquiagem ela vinha, como eu te disse, anteriormente, era uma intenção teatral, era uma proposta já, do grupo, sabe de bastidor, de bastidores, mas a gente não tinha ideia se ia ser o chamado glitter, sabe aquela maquiagem opaca do teatro, branca, né, que aliás me cansou muito nos anos 70, porque todo e qualquer espetáculo seria de brecha, sabe assim...

Tinha que se maquiar todo dia.
É, tem que se maquiar, todo mundo com a mesma cara, né, sabe, você lembra disso?

Como que fazia, hein? É a marca registrada...
Aquela pasta branca e todo mundo tinha cara, né? Mas então essa coisa do inconsciente coletivo, sabe assim, eu acho que a gente, talvez por sermos artistas sensíveis, eu diria, eu posso dizer isso hoje em dia, a gente conseguiu, sabe, captar essa vibração e traduzir da maneira que foi Secos & Molhados. Eu tenho impressão que foi isso realmente.

Como que foi você e João Ricardo, dois rapazes que moravam em São Paulo e que tinham hábitos de quem era daqui. Aí o Ney chegou, né, de outra cidade, como que foi...?

O Ney vinha com uma formação totalmente diferenciada e com uma diferença de idade gritante, porque o Ney é 11 anos mais velho que eu. Eu era o caçula do Secos & Molhados, o João tem dois anos e meio, não chega a três mais que eu, mas, por exemplo, nessa época, quando nos conhecemos, eu tinha 16 e ele 18. Ele já entrava em lugares que até então eu não imaginava nem que existissem ou que pudessem, então a gente teve uma amizade muito forte nesse período, entre meus 16 e 19, 20 anos de idade. A partir do momento que a coisa se profissionalizou, quer dizer, que Secos & Molhados aconteceu, eu falo isso com muita pena, inclusive porque a gente começou a se distanciar, sabe. Eu não sei se foi uma coisa natural o que aconteceu, a gente, eu e João Ricardo, houve um certo distanciamento, eu não sei se foi o sucesso, de supetão, que nos pegou, desprevenidos, né... Esse distanciamento que houve, entre mim e João, eu tenho impressão que foi uma coisa levada pela loucura de sucesso, sabe assim, que nós tivemos de repente. Porque a gente saiu de um grupo, sabe, sonhador, "será que um dia a gente consegue e tal", já para o sucesso. Desde o primeiro show do Secos & Molhados, ainda com a formação que eu me referi com o Tato Fischer, ele já teve cara de sucesso. Então, por exemplo, durante praticamente um ano, quer dizer, propriamente dez meses de trabalho árduo, nós chegamos a fazer uma média de mais de dois, às vezes três, shows por dia, entre quartas e domingos. A gente só descansava segunda e terça-feira. Eu escrevi isso num depoimento meu, se não me falha mais uma vez a memória, a gente chegou ultrapassar 365 shows em dez meses apresentação.

Mas isso é uma loucura.

É uma loucura, uma loucura porque o grupo era requisitado, a gente chegava, eu me lembro de Moracy, sabe, administrar essa parte empresarial, fechando a coisa e se atualizando, falando: "Então, a gente vai em Brasília" e daí você pegava e fazia três, quatro cidades satélite no mesmo dia e fechava com show no ginásio em Brasília, às onze horas da noite, meia-noite e tal. Isso foi assim desde dezembro de 1972. Foi uma loucura mesmo.

Na Casa de Badalação e Tédio, lá já era, já tinha esse nome Secos & Molhados, quando vocês já se apresentaram...?

Já como Secos & Molhados.

Como apareceu esse nome, "Secos & Molhados"?

Então, Secos & Molhados ocorreu assim, exatamente nesse hiato de tempo, quer dizer, nesse período, entre da chegada do Ney em 71, durante os ensaios, coincidiu com umas férias trabalhistas do João Ricardo e a gente tava buscando um nome, né? A gente precisava batizar, sair com um nome para esse trabalho, um grupo precisava ter um nome, né? Aí o João foi para Ubatuba e numa tarde chuvosa ("Ubachuva" como eu costumo brincar, porque chove muito naquela região), ele se deparou com uma placa que balançava num casebre de praia abandonado, numa praia, que eu não sei te especificar qual, mas ele chegou próximo da placa e dizia assim: armazém de Secos & Molhados. Aí ele pegou e ficou com aquela coisa na cabeça da placa e me ligou no dia seguinte que ele voltou de férias. Foi lá e falou assim: "já tenho o nome". E eu falei: "qual é o nome?". Ele falou: "Secos & Molhados". Eu confesso a você, como sempre confessei, que eu achei não só um horror como muito estranho. Falava assim: "Mas pô, Secos & Molhados, será que isso pega, será que bate?". Porque me soou de uma maneira muito estranha e eu sempre assumi isso. Eu não fui apaixonado pelo nome, mas o João estava convencido de que era um bom nome e eu me lembro de uma primeira reunião quando ele apresentou o Ney, que eu olhei para cara do Ney e falei assim: "Bom, precisamos de um nome, é um nome, né, então que seja 'o' nome", e morreu o assunto e ninguém mais tocou nisso, e virou Secos & Molhados mesmo. Aí, quando a gente começou, que foi a pergunta que você me fez, no Casa de Badalação e Tédio, nós já nos apresentamos como Secos & Molhados.

Refazendo aqui a nossa cronologia, passaram-se alguns meses e aí vocês foram contratados pela Continental?

Pela Continental, a gente foi contatado, mais ou menos em maio, que foi quando o Moracy do Val conseguiu acertar os ponteiros com a gravadora e entramos, se não me engano, entre 14 e 17 de junho para gravar o disco e foi gravado entre junho e julho, o resultado do CD, aquele das cabeças, lá da capa das cabeças nos pratos, né? Ele foi gravado nessa época, entre junho e julho de 73, aqui em São Paulo.

Então a primeira pergunta, Gerson, um pouco entrando no disco, se vocês eram três, porque na capa o Marcelo está?

É que quando nós entramos no estúdio, nós trouxemos os músicos que tocavam na peça *Viagem*, que era Willi Verdaguer, Emilio Carreira, o Marcelo Frias, quer dizer, na verdade o Marcelo e o Willy já vinham, eram argentinos, já estavam no Brasil com o trabalho que eles haviam chegado já desde os anos 60 e tal com o...

Beat boys.

...com os Beat Boys e tal, e estavam radicados aqui no Brasil, e daí ficaram encantados com o som e nós os convidamos para virar

Secos & Molhados que aí eu respondo a tua pergunta né? Ocorre o seguinte, na hora H de contratação, ou propriamente da confecção da capa, tanto o Willy quanto o Gripa, quanto o Emilio Carreira preferiram, sabe, a condição de não virarem Secos & Molhados, e o Marcelo falou assim: "não, eu vou ser Secos & Molhados", aí nós fizemos a capa. No dia seguinte da capa pronta ele falou assim: "olha, eu pensando bem, eu prefiro a condição de contratado", não apostando muito no que poderia acontecer, e por esse motivo o Marcelo é o quarto elemento da capa de Secos & Molhados, mas durou a vida dele como Secos & Molhados propriamente dito, né, asumindo, a cara de Secos & Molhados, exatamente do período de gravação, entre junho e julho de 73, já em agosto quando nós saímos para uma turnê grande, por exemplo, o Marcelo já era músico contratado, ele preferiu essa condição.

Essa capa, que é uma das capas mais carismáticas da história da música brasileira...
Com certeza, exatamente.

O carisma dessa capa aqui é incontestável, como surgiu essa ideia?
Então, a ideia da cabeça nos pratos foi trazida pelo Antonio Carlos Rodrigues, que era um fotógrafo conhecido da gente, mais propriamente amigo do pai do João Ricardo, se eu não me engano. Foi ele que nos apresentou, e o Antonio Carlos já tinha feito os ensaios com a esposa dele, que era uma modelo, eu não me lembro o nome dela, mas ela já tinha feito alguns trabalhos significativos como modelo e ele como fotógrafo já havia feito um ensaio inicial com a cabeça dela em cima de uns pratos, aí ele pegou e trouxe a ideia e a gente, vislumbrou isso e achou que seria uma coisa ousada e legal. Quando surgiu a ideia, "como que a gente faz a produ-

ção", que foi feita pela gente mesmo na verdade, nós saímos no dia da montagem da fotografia, foi uma coisa louca, porque foi fotografada aqui numa casa em Pinheiros, no quintalzinho de uma casa, ao ar livre, e por incrível que pareça, chuviscava. Porque ainda era época de São Paulo da garoa e nós pegamos dois cavaletes, cortamos os buracos no que seria propriamente a mesa, sabe assim, ficamos embaixo dos cavaletes e a bandeja era cortada, e daí o resto surgiu com improviso do que tinha na casa, sabe, o feijão, a garrafa do vinho, enfim, todos os detalhes que compõe a capa né, uma coisa meio assim, surreal, pelo que aconteceu, mas foi por aí. O pão, sabe, compraram na padaria ao lado, sabe assim, que cabe num armazém de Secos & Molhados.

Eu me lembro de muita gente perguntar na época como que vocês tinham feito a capa, porque realmente a produção você acabou de dizer como, mas ela convence, parece que a cabeça tá sendo servida, que vocês foram decapitados mesmo, como que eles fizeram, eles ficaram de cócoras, é muita gente perguntando...

Nós estávamos literalmente agachados, ajoelhados embaixo da mesa, da altura do pescoço e daí sabe assim, a bandeja que está em volta do pescoço de todo mundo foi cortada para encaixar né?

Essa pessoa deve ter outras fotos então, né?

Ah, o Antonio Carlos certamente tem um referencial...

Antonio Carlos é o fotografo que está creditado aqui né? Isso foi depois da gravação ou durante?

Isso foi durante o processo de confecção do disco, quer dizer, foi já um acerto com a Continental, quer dizer, quem bancou essa produção, na verdade, foi a Continental já para elaboração desse disco, mas a partir daí a gente teve a loucura mesmo de shows que foi, e os músicos, como eu te falei, já com a opção de que o Marcelo...

Músicos contratados.

É, são músicos contratados, a banda, que se tornou a banda do Secos & Molhados, que era o John Flavin na guitarra, Willy Verdaguer no baixo, Marcelo Frias na bateria, Emilio Carreira teclados e o Sergio Rosadas, que era o flautista.

O que dá para ver aqui é que depois a sua pintura e a pintura do João Ricardo foi mudando ao longo...

É, mas exatamente porque ela não era uma coisa assim, que a gente tinha plena convicção, então sabe, cada dia, como nós mesmos nos maquiávamos, era uma coisa de *feeling* de show, teve uma época que eu passei uns dois meses assim, desenhando uma estrela, na testa, porque eu tinha um convívio muito grande com a colônia judaica aqui em São Paulo e foi uma certa homenagem fazer aquela coisa, então eu desenhava uma estrela de Davi no meio da testa, a coisa mais louca. Se tivesse continuado eu não sei onde teria chegado à criatividade em termos da maquiagem propriamente dita, né. O Ney sempre teve aquela coisa meio pássaro, meio misteriosa, mas ele manteve o João, daí acho que com uns quatro, cinco meses de grupo ele assumiu a coisa da meia cara, meio rosto pintado, que tinha uma conotação, inclusive meio com parte literária, do poeta que apresenta meia cara fantasia e meio rosto, sabe?

Agora só uma coisa, o fato do Ney se pintar, de fazer uma máscara ali, ajudava na hora de entrar na cena, você acha assim, ser tomado por uma força, alguma coisa desse tipo?

Olha, eu acho que a gente assumia inconscientemente um personagem, cada um de nós, para mim especificamente, não propriamente o personagem isolado, mas assim, era o Secos & Molhados, era aquilo que a gente acreditava e era a proposta do grupo. Claro, isso eu sou obrigado a te confessar, desde o primeiro momento em que a maquiagem marcou, a gente já começou saber conversar a possibilidade de aparecer de repente sem a maquiagem. Mas ao longo desses meses todos, daquele sucesso estrondoso, que foi uma mudança, uma mudança de comportamento geral, quer dizer, o Secos & Molhados foi um divisor de águas, em todos os setores que compõem o show business, música, sabe assim, quer dizer, teatros tinham boa frequência, mas não eram lotados, passaram a ser lotados em shows musicais depois de Secos & Molhados. Nós fomos o primeiro grupo a encarar um ginásio tipo Maracanãzinho, por exemplo, na história da música brasileira, enquanto grupo sozinho, porque já tinha acontecido o Festival Internacional da Canção e tal não sei o que, com vários outros artistas. Então o Secos & Molhados realmente foi um divisor e águas e durante essa loucura de entusiasmo, de curiosidade de público e tudo mais, eu acho que a questão da maquiagem, voltando um pouco, sabe assim, a gente não conseguia se imaginar sem. Era inclusive problemático, por exemplo, claro que a gente não andava maquiado pela rua, como já me perguntaram inúmeras vezes, apesar de que tem um livro de fotos que eu estou na rua indo de um estúdio pro outro e tal não sei o que e, inclusive muito divertido porque eu estou caracterizado de Secos & Molhados e tem assim, um casal olhando com uma cara de espanto. A gente evidentemente não andava fantasiado pelas ruas, mas eu me lembro que no auge dos Secos & Molhados foi inaugurado o shopping hoje tão famoso Iguatemi, e eu fiz a besteira de no dia seguinte da inauguração só de conhecer o shopping com João Ricardo e não era a maquiagem que fazia, o sucesso já era tanto porque nós paramos o Shopping Center, com

Polícia e tudo mais, porque as pessoas que descobriram que era a gente, que foi assim aquela coisa maluca né, o Ney não tava nesse dia, mas foi assim, sabe, teve que chamar a segurança e tal, porque foi uma coisa alucinada.

A pintura fatalmente influenciou a roupa, tinha conversa...
Sim, uma coisa de uma maneira tava ligada, tinha uma conversa...

E o Ney foi às últimas consequências...
Às últimas consequências, essa coisa teatral...

Vocês tinham, vamos dizer assim, bem rock'n roll no palco ou diante das câmeras, mas a música não era só isso. A música também tinha isso, mas não era isso...
Não, não era só isso, e isso é uma característica engraçada sabe, que eu vejo muito particular dos compositores João Ricardo e Gerson Conrad. Eu te explico melhor, por exemplo, eu tive a oportunidade de ver trabalhos, depois do que seria propriamente Secos & Molhados, apesar de que João insistiu em levar o nome com outras formações, e com uma crítica ferrenha minha, porque eu cheguei a dizer para ele pessoalmente e falo isso inúmeras vezes, quantas vezes forem necessárias, assim, ele num determinado momento foi mordido pelo vírus Secos & Molhados, e passou anular o próprio João Ricardo, então eu costumo brincar dizendo o seguinte: que ele confundiu a máxima literária que diz o seguinte: não importa a intenção do autor, o que importa é a obra, e passou a se julgar a própria obra, né, mas voltando não à crítica, mas ao que eu queria realmente enfatizar, eu acho que é uma característica, essa questão musical que você fala, que não é só rock, eu vejo ainda hoje muito presente nos trabalhos atuais do João, como vejo também no meu trabalho. Ele tem o contexto do

rock no sentido amplo, não rítmico, o rock enquanto liberdade de expressão, eu acho que aí nós somos roqueiros, sabe assim...

De atitude.

Por exemplo, existem obras já dentro do Secos & Molhados assim, que eram, sabe, baladas, né, o próprio "El Rey", por exemplo, que era um estudo que eu costumava fazer. Sempre antes de entrar em palco eu costumava brincar com aquele paratatataratata, como aquecimento, um dia João pegou e fez assim: "você devia usar isso!". Eu fiquei com aquela coisa "devia usar isso" e quando ele me apresentou a letra do "El Rey" eu falei assim: "vou compor em cima disso usando aquela brincadeira", e realmente eu fiz, né, então foi mais assim, mas já vinha essa coisa do violão um pouco mais elaborado, do clássico, sabe assim, como influência. Você tinha todos esses elementos, e de uma certa forma o João, apesar de não ter, de não ser assim, um virtuoso, um exímio instrumentista, mas ele trazia, sabe, uma bagagem cultural que o permitia a isso também, né?

Vocês juntos também, como que era a química, porque tem muita poesia na música de vocês, muita poesia, essencialmente poesia, o som de violão, uma batida do violão também favorece, é mais flexível do que uma banda de rock. Você musicar uma poesia é mais difícil do que você pegar o violão...
É complicado, eu já tive oportunidade de ouvir alguns trabalhos desastrosos...

Como que era, vocês dois juntos tocando, porque chegou a pegar uma poesia do Vinicius de Moraes, você escolheu?
Existia assim uma coisa meio, eu tenho impressão que meio intuitiva, nessa troca, né. É engraçado que em termos de composição, por exemplo, a gente acabou compondo muito pouco juntos, eu

e João Ricardo, mas nós temos uma proposta para Secos & Molhados que vinha sendo elaborada tanto por ele quanto por mim né, tanto, por exemplo, que eu fechei o meu primeiro disco individual após o rompimento do Secos & Molhados com quase que 50, 60% dele de coisas que deveriam ter sido gravadas pelo Secos & Molhados. Não entrou, aí entra num campo muito particular pelo seguinte, quer dizer, depois do estouro do primeiro disco, o João pegou e falou assim, "olha, precisamos compor pro segundo", eu falei "legal", aí em meio a viagens a coisa sabe, eu estava elaborando exatamente como acabei de falar, sabe, cada um pro seu lado e não exatamente junto, quando chegou no segundo disco ele falou assim: "olha, eu tenho trabalho pronto e não entra mais nada", e aí foi uma coisa meio ditatorial que foi a fase que levou, inclusive, ao fim dos Secos & Molhados, que foi uma pena. Eu não sei se entusiasmado pelo direitos autorais que ele havia arrecadado, que esteve encabeçando naquele ano como um dos cinco primeiros nomes de lista de arrecadação de direitos no país e tal, mas aí nos pegou de surpresa, não só a mim, até o Ney, que não compunha também, e isso nos pegou de surpresa e foi assim, sabe, quebrou o encanto. Era como um cristal que tivesse caído no chão pelo seguinte: porque o Secos & Molhados só existiu enquanto existia o espírito de equipe, de divisão equitativa de valores, responsabilidades, isso era uma banda, né. Exatamente quando a coisa entrou sabendo ou não, eu faço, eu assumo, eu digo, eu aquela outra, sabe assim, aí eu deixei de ser o admirador, o amigo do João Ricardo, e isso infelizmente já está indo para mais de trinta anos.

Durou um disco?

É, durou um disco, né, durou alguns anos. Quer dizer, foi um momento, como eu te falei, a gente tinha um entrosamento, sabe assim, exatamente entre os meus 16 e meus 20, 21 anos, a partir daí, nós deixamos de ter uma... Quer dizer, hoje nós conversamos, claro, nessa do "O mundo gira, a Lusitana roda", como dizia o provérbio popular aqui paulistano, Lusitana é uma transportadora, para quem não conhece, que tinha esse slogan, né. Então a gente evolui, evidentemente, então eu não tenho mágoas, nem rancor, sabe, nem absolutamente nada, nem com ele, nem com Ney. Ney, por exemplo, sempre que pode ele bate um fio, me liga, oi e aí, o que tem feito, sabe, me convida para ir assistir um espetáculo, a gente mantém uma relação bastante, sabe, cordial. Não mais como antes, evidentemente, pela própria disponibilidade de tempo, quer dizer, ele está sempre cumprindo agendas pela Europa afora...

Esses momentos são clássicos, você faz sucesso e é mordido por isso, chama de que quiser né, como você falou aí, a pessoa passa a se sentir o dono de tudo aquilo, né?

Da ideia, é uma coisa surrealista, né, saber assim, o João Ricardo, por exemplo...

O que acontece nesse momento? Você consegue descrever, dissecar isso, cara, o momento em que, você viu isso de perto, né?

Mas aí que está, engraçado, mas assim, não te cortando, né, outro dia dei uma entrevista rápida assim, e na primeira pergunta da jornalista ela falou o seguinte: "eu entrei no site do João Ricardo, o site Secos & Molhados e tal não sei o que...", eu peguei e falei assim: "bom, se você vai me entrevistar com base no site Secos & Molhados, muito obrigado, mas eu tô indo embora". Porque o site é uma bobagem, né, logo no primeiro parágrafo ele fala o seguinte: que eu entrei no Secos & Molhados por uma questão estética, e ele não me responde isso pessoalmente, porque eu só perguntei para ele "o que você quer dizer com questão estética", porque todo mundo sabe, quer dizer, nós temos amigos que viram crescer Secos & Molhados, que foi uma coisa que cresceu dentro da casa dele, dentro da minha casa, no meu quarto de adolescente, no quarto dele de adolescente, sabe, um trabalho do sonho que nós interrompemos inclusive, de uma época tão conturbada, né, de sonhos, mas a gente tinha a ousadia de sonhar e tentar propor alguma coisa que fosse inusitada, nova, e de repente eu me deparo hoje em dia com essa bobagem, né, sabe assim, fico me perguntando: "será que ele era viadinho e não sabia, me achou bonitinho, né?". Me colocou por uma questão estética, daí eu falo, não, não é o caso, sabe, eu realmente não entendo o que é questão estética, estética de grupo, estética, é uma bobagem, né?

É, não quer dizer nada, né?
Não quer dizer absolutamente nada, né, mas, quer dizer, hoje, principalmente quando eu estou aí, sabe, apesar de fora da grande mídia, né, e pelo fato até das gravadoras terem mudado tanto, eu não tive oportunidade de ter um trabalho de continuidade em termos de disco, mas eu sempre estive presente ao longo desses 30 anos, ou 34 anos aliás, hoje, que nos separam do sucesso de Secos & Molhados, mas eu sempre fiz muitos shows, sabe, eu sempre me apresentei muito, estou com trabalho, estabelece, to com duas vertentes atualmente de trabalho, estou com show em cartaz chamado *Brincadeira de quintal*, que é uma coisa intimista, violão, percussão, mas onde eu tô apresentando Haroldo de Oliveira, que é um violonista ótimo, compositor ótimo aqui de São Paulo, amigo meu que, sabe assim, um cara fantástico, e tô com a banda mesmo, que é meu grande barato, o meu grande prazer é minha banda, até hoje, sempre tive, mantive e tal, então a gente está cumprindo agendas e tal, não aparece muito na mídia, mas sabe, por exemplo, está aí nos guias de cultura...◯

Luhli

Como você conheceu o Ney?

Bom... Eu conheci o Ney nos anos 60, na Tijuca. Minha casa sempre foi ponto de reunião de música. Desde os 13 anos de idade eu dava aulas de violão. Eu fui uma das primeiras pessoas a fazer aquela batidinha da Bossa Nova. Então isso propiciou o encontro com muita gente de música. Eu tinha um amigo que tocava piano, Paulinho Machado. Foi estudar em Brasília e fez um conjunto lá e chamou pra cantar um rapaz que cantava, da universidade, que era o Ney. E uma ocasião que ele veio ao Rio ele falou assim "vai lá procurar minha amiga na Tijuca, tu vai gostar dela". O Ney chegou lá em casa e ficamos muito amigos. Eu fiquei acompanhando o Ney durante oito anos, eu adorava ouvir ele cantar. E ele não se acompanhava, porque o Ney sua na mão. Ele pinga. Ele tem uma disfunção qualquer... Ele tentava tocar, ele suava, se atrapalhava. Então desistiu de tocar. Eu acompanhava o Ney. Fiquei oito anos nessa. Ele dizia que gostava de tal música, eu tirava naquele tom esquisito dele, ele vinha e cantava comigo. Cantávamos a tarde inteira. E foi assim que eu conheci o Ney e nossa amizade se fez, tanto minha quanto do meu namorado na época, que virou meu marido, que é o Luis Fernando, que foi o fotógrafo dele durante muitos anos.

E como é que veio acontecer esse encontro entre o João, você e o Ney, que foi a semente desse grupo?

O Ney costuma dizer brincando, ele não sabe se me agradece ou se me culpa. Porque fui eu a culpada dele ter virado um cantor famoso. Eu sempre vi uma clara estrela sobre o Ney. Era aquele ser flutuante, que não tinha compromisso com nada. Era uma pessoa suave, doce. Muito leve, presença muito leve. Mas eu sentia nele aquele brilho, aquela coisa enorme. Sempre acreditei que iria acontecer alguma coisa especial com ele. Meu marido foi fazer um trabalho em São Paulo, era fotógrafo e foi fazer uma filmagem com a equipe do Roberto Farias. Era o filme *Roberto Carlos 300 km por hora*. E eu fui com o meu marido, e eu ficava de bobeira no hotel, né? E o rapaz da filmagem tinha um bar onde tinha música ao vivo, e me chamou pra cantar lá. Aí eu comecei a cantar nesse bar. E nesse bar eu conheci o grupo que tocava no outro dia. Eu cantava nas quintas, o grupo tocava nas quartas, que era um português, 17 anos de idade. Era um garoto que imitava o John Lennon, com o cabelo comprido, tocava um violão de 12, com aquela gaita, fazendo aquele country. Adorava Beatles, como eu adoro Beatles. E ficamos colegas. E eu ia pra casa dele, a mãe dele fazia aquelas bacalhoadas, né? Portuguesa. E a gente ficava tocando. E ele me mostrou uns roquezinhos e eu fiz umas letras. Fiz umas sete, mais ou menos... Sete ou oito músicas com ele. Três foram gravadas: "O Vira", "Fala" e depois, no segundo disco, "Toada & rock & mambo & tango & etc.", uma bobagenzinha. As outras não chegaram a ser gravadas, porque o grupo acabou antes disso. E ele me contou da vontade que ele tinha de fazer um trabalho, pegando poemas famosos, consagrados, que fossem de protesto social, numa época de profunda censura, em que a Censura censurava tudo. Tudo que tivesse algum contexto social, mais político, né? E hoje em dia as pessoas não têm noção do que é censura, mas era uma barra muito pesada pra nós, artistas. Era muito difícil lidar com isso. Então era uma forma de burlar a Censura. Eram poemas já publicados, eles não podiam censurar uma coisa já publicada. E dessa forma, com um rock muito simples sobre poemas muito bons de fundo de protesto, ele queria fazer esse disco. E falou, "eu preciso de um cantor especial", eu falei "pô, eu tenho um cantor lá no Rio". Trouxe o João pro Rio, ele conheceu na minha casa o Ney. O Ney decidiu ir pra São Paulo, o resto vocês sabem, né? Levou três anos de penico. Passou necessidade, assim, até o grupo conseguir gravar e conseguir acontecer. Mas também quando aconteceu, ninguém mais segurou. E aí, o mundo todo virou lobisomem. [risos]

Vamos falar um pouco da Censura. Como é que vocês viam a Censura? Ela chegava em cima de vocês? Vocês sabiam que ela existia? Ou vocês sofriam a Censura mesmo?
A gente sofria quando a gente ia fazer qualquer show. Todas as músicas, pra você poder cantar no show, tinha que ter o carimbo da Censura de liberação. Então a gente fazia assim... Compunha cinco, seis músicas. Aí eu preparava aquele lote, botava aquela fitinha e mandava para a Censura. Pra já liberar antes, pra na hora de fazer o roteiro não ter problema. Se não tivesse o carimbo de liberado, a música não era cantada. Os censores iam em todos os shows, se a música não tivesse... E você tinha que seguir aquele roteiro. Eles iam com as músicas na mão, era rigoroso. E a Censura era um absurdo, censurava tudo. Eu tava contando aqui que, uma música minha com a Lucina, chamada "Terra dos anões", era instrumental, eles censuraram porque acharam que o título era subversivo. Mas era uma coisa burra, era uma coisa violenta, castradora, muito burra. Não era uma censura fina, era uma censura grossa mesmo.

E a forma que o Secos & Molhados fez pra ludibriar foi... utilizar poemas.
Isso foi a cabeça de João Ricardo, isso foi um mérito do João. A

grande sacada do João foi essa. Porque as músicas são muito simples, são rocks de digestão fácil, bem feitos, gostosos de ouvir. Mas músicas muito simples. Agora, a fusão de uma música tão simples, com uma letra, com uma qualidade poética e com uma mensagem social numa época de mordaça, essa mistura, juntando com isso a força da personalidade do Ney e o grito andrógino que ele representou, numa época de começo de liberação nesse movimento hippie... Foi assim a pessoa certa, na hora certa, essas coisas misturadas era uma bomba. Mas a bomba não foi só o Ney fazendo as pinturas, foi o Ney cantando aquilo. Essa fusão de um homem como ele, um ser como aquele cantando aquilo, naquele momento só podia estourar. Na época, os Secos & Molhados vendeu mais que Roberto Carlos. Foi a primeira vez que Roberto Carlos foi barrado em vendagem, naquela época, quando o disco estourou. E foi como um cometa, né? Porque ele estourou, durou pouquíssimo tempo e acabou. Porque o grupo não conseguiu se sustentar, porque começou a ter brigas por causa de dinheiro, por causa de pessoas que queriam explorar aquele dinheiro, pessoas que não tinham a ver com o grupo. O João Ricardo não teve estrutura emocional, era muito menino, realmente. Não teve estrutura emocional pra segurar aquela pressão toda. E o Ney pulou fora, não aguentou. Não aguentou a sordidez, a sujeira que envolveu a ganância das pessoas em cima da galinha dos ovos de ouro, que era o Secos & Molhados. Aí o Ney pulou fora, o Ney pulou fora e acabou. Porque ele era o par alto, ele era o porta-voz, né? Mas a cabeça, o mentor de tudo era o João Ricardo, realmente. Agora, eu sou mãe musical, né? Porque assim como eu fiz isso com o Ney, com o João Ricardo, eu fiz com muita gente. Quer dizer, adoro ser cupido musical, né? Apresentar a pessoa à outra, né? O Ney não foi a única pessoa que eu vi essa estrela na testa, que passou pela minha casa e que eu procurei ajudar de alguma maneira, com meus poucos contatos, entende? Porque depois eu tenho sucesso na mídia, mas a minha carreira é alternativa. Então eu tenho um pé dentro e um pé fora, né?

E, com a saída do Ney do Secos & Molhados, ele teve que fazer o rompimento com a gravadora, pagou multa...
Barra pesada. Ele passou uma barra pesada. Mas o Ney não se queixou, não. Ele dizia que estava pagando a alforria dele, a libertação dele. E passou muito tempo pagando, alguns anos pagando uma quantidade enorme de dinheiro. Só depois de alguns anos que ele começou a ganhar. Todo mundo achava que ele tava famoso, que era riquíssimo, tava nada. Tava era pagando uma multa. Feliz da vida, porque ele queria a libertação dele. E aí ele começou o caminho solo dele. Foi a partir daí que ele começou a fazer todas as imagens com meu marido, que é o Luis Fernando Borges da Fonseca. Tanto que esse livro aqui, do Bené Fonteles, lançado a um, dois, três anos atrás, é um livro só com fotos do Ney, fotos do meu marido. É um livro de arte belíssimo, chamado *Ousar ser*, do Bené Fonteles com fotos do Luis Fernando. E daí ficou a amizade, né!? Amizade... O Ney vem sempre gravando músicas minhas, já gravou um total de 13 músicas, no correr da carreira dele e algumas regravadas, como "Bandoleiro", como o próprio "Fala", que ele cantou no último show, como bis. "Bandoleiro" já tem duas versões, além da original, tem o "Napoleão", regravou "Pedra de Rio". Algumas parcerias minhas com a Lucina, algumas só minhas.

Voltando no tempo, como é que começou a associação musical entre você e o João Ricardo? Ele esteve aqui por causa do show em São Paulo, vocês se conheceram... Como você começou a compor com ele, por exemplo, "O vira"?

É, porque foi assim, eu ficava no quarto do hotel, não tinha nada pra fazer, ele me dizia "vai lá pra casa, tocar violão comigo". Comia bacalhoada e ficava tocando violão com ele na sala dele, né? Meu marido voltava de noite, eu chegava de noite e ele morava perto do hotel. Ia pro hotel e esperava meu marido chegar. Eu tava numa cidade distante, não conhecia ninguém, então eu ficava com tempo disponível. E ele me mostrando as ideias dele, as músicas dele, as coisas, cantando comigo, tocando. "O vira" foi uma coisa assim, eu vi uma pessoa brincando na porta do hotel com outra, né? Brincando num bar "Vira, vira, vira" aquela "vira, vira, vira, virou". De virar o chopp, brincando de quem vira direto.

Sim.
Alguém falou "vira, vira homem. Vira lobisomem". Eu falei "hum". Dali foi. Porque eu pego da rua. Eu pego de uma conversa no ônibus, de uma conversa na esquina. Eu vou pegando ideias, eu fisgo no mundo ideias pra letra. Eu chamo isso de expiração. Você tem que ter inspiração, eu tenho que ter expiração. Que é você catar no mundo um lote aqui, uma ideia ali. Isso tudo que vai dando o link pra gente fazer uma música. Eu fiz a letra da música, né? Uma letrinha simples, mas eu acho que também o fato de você mexer com lobisomem, com a coisa infantil, com a magia dos mitos brasileiros. Eu considero assim, agora vou falar bruxalmente com você. Num mundo pequenino eu faço parte, eu sou uma gnoma, sou uma gnomona. Sou elemental terra e o povo pequenino abriu o caminho do pote de ouro pra mim. Porque é a música que fala deles, das fadas, dos sacis, dos gnomos. O povo elemental que abriu o caminho do pote de ouro. Até hoje "O vira" tem umas 14, 15 gravações. Todo alguém importante, em termos de mídia comercial, grava "O vira". Aí a música me dá mais dinheiro. A música me dá mais dinheiro sozinha do que

todas as outras, eu tenho 100 músicas gravadas. Cerca de cem músicas. Mas "O vira", só ela, me dá mais dinheiro que todas as outras. Porque é Banda Cheiro de Amor, é Sergio Malandro, é Frank Aguiar, é não sei quem. Sempre alguém está gravando. Sandy e Junior, Roberto Leal... Sempre alguém está gravando "O vira", ou alguém vai fazer um comercial de televisão. Aí me dá um royalty alto, uma grana legal. Sempre "O vira" está salvando a minha vida. Eu agradeço muito ao povo elemental, essa musiquinha boba, que é quase nada, ela abriu muito o meu caminho na minha vida, né? Me ajuda muito.

E daí você escreveu a letra e mostrou pro João. Foi isso?
Na hora, sentados juntos assim. Foi na hora. E "Fala" também. "Fala" é linda. É uma coisa simples, é muito linda. Tem várias outras, inclusive uma que o Ney queria gravar, mas o Gerson Conrad não gostou, e ele acabou não gravando. Que era da fotografia. Todas assim, brincadeira, coisa simples. E duas foram gravadas, aconteceu.

Quando o João veio ao Rio, você o convidou para vir ao Rio conhecer o Ney. Por quê?
Porque eu conhecia o Ney no Rio. Eu achei que era o cara que ele precisava. Ele queria uma voz diferente, algo estranho. Eu falei "eu tenho o cantor pra você". Trouxe pro Rio, o João, quando eu voltei pro Rio. Acabou a filmagem, nós voltamos pro Rio. O João veio visitar, passou uma semana na minha casa. E aí apresentei ao Ney e o Ney topou, aceitou o convite.

Quando ele viu o Ney cantando...
Fiz o Ney cantar e ele falou, convidou o Ney, se o Ney queria. E levou também o meu flautista. Era um menino que tava sempre

lá em casa, tocando flauta com a gente. Foi junto também, que é o Sergio Rosadas. Também conheceu lá em casa. Daí saiu a flauta também.

Deve ser metade dos Secos, né?

Então... por mais que você ache, que você sonhe com o sucesso, você nunca imagina que ia ser, ninguém imaginou que ia ser aquela loucura, né? Na época. Nem que fosse trazer uma ganância tão grande junto, que fosse ter um sucesso tão sujo. Nunca houve aquele momento da gente sentar, eu, João Ricardo e o Ney, e brindar uma coisa que a gente realizou junto. Nunca houve isso. Vinte anos depois o João me procurou um dia em São Paulo. Eu encontrei... Eu precisei de um contrato de uma autorização do "Fala" com ele. Encontrei com ele em São Paulo. Fomos almoçar fora. Aí ele me disse assim, que os Secos & Molhados era eu e ele, que ele tinha levado um bom tempo para perceber isso, que eu tinha feito "O vira" com ele, tinha feito "Fala" com ele, que eu tinha apresentado o Ney a ele, que eu que tinha que cantar com ele, fazer uma dupla com ele e largar a Lucina. Eu falei pra ele "Meu filho, você chegou um pouco tarde. Realmente, não tem sentido na minha vida, agora, eu fazer uma coisa dessas. Agradeço muito, fiquei honrada com o convite. Mas não tem mais sentido, não tem sentido isso pra mim". Agora, eu não tenho vontade de voltar o tempo atrás, como o João tenta. Eu acho que o João fica tentando repetir aquele sucesso que existiu num certo momento e terminou. Aquilo já foi, tem que fazer outra coisa. E o Ney não, o Ney continuou sempre inovando, buscando coisas novas. Cada vez que ele faz um projeto novo é uma coisa diferente. O Ney tem essa coragem de ousar, né? Que eu acho isso uma coisa maravilhosa no Ney, porque eu compreendo que um garoto tão novo, como o João era, foi muita pressão, muita pressão, muito sucesso. A gente não pode nem imaginar como é que foi a pressão que ele sofreu. Dá uma avaria na personalidade mesmo, da pessoa.

O Ney falou, na conversa que teve com a gente, que você estava no Amazonas, no Igarapé, e ouviu "O vira" tocando.
Foi assim, eu tava grávida nessa época que "O vira" estourou, 1974, eu estava grávida da minha primeira filha. E eu tinha muita vontade de viajar, mas eu sabia que depois, com neném pequeno, ia ser difícil. Então a gente foi fazer uma viagem de navio. Porque a primeira grana que veio do "O vira" e do "Fala" foi uma grana alta. Eu falei "ah, eu quero fazer uma viagem de turismo". Pegamos um navio desses que faz transatlântico, que vai parando em todas as capitais, entrou pelo Rio Amazonas, levou um mês pra voltar pro Rio. E o navio largou o porto do Rio de Janeiro com a banda tocando "O Vira". E aí fui vendo, no cais do porto, em Salvador, um negão com aquela cesta, balaio de peixe na cabeça, cantando "O vira". Indiozinho, pescando no Igarapé, cantando "O vira". Eu senti a força do rádio, no caso aí não é nem televisão, é o rádio, né? A força do rádio no Brasil inteiro e como realmente é impressionante o poder. Pra mim era incrível. Porque eu era a autora da música e as pessoas não sabiam que eu era a autora, mas eu sabia. Então eu acho maravilhoso isso, é o que eu quero na vida. Que as minhas músicas sejam famosas e que eu esteja com minha cara livre. Porque eu não tenho vontade de todo mundo me reconhecer e perder a minha liberdade, o gostoso de ser anônimo. E que a minha obra me eternize. É o que eu quero. O que eu quero é me eternizar como compositora. Gostaria, só pra completar o assunto, gostaria só que todas as minhas músicas inéditas, que entopem minhas gavetas, meus armários, pudessem ter a mesma chance que "O vira" teve. E que "Fala" teve.

Então... vamos falar do "Fala". Como é que foi compor o "Fala"? Por que foi? Onde foi?
Foi ali, depois da bacalhoada da dona Fernanda. Na sala do João Ricardo. Ele tocando aquela música e eu peguei e escrevi. Assim, assim, simples.

Um dia, dois dias, uma semana?
Meia hora.

Um pouquinho em cada dia?
Meia hora. Eu tive a ideia. Não é uma letra elaborada, são poucas palavras. A ideia que foi boa. São músicas muito simples, não pediam letras complicadas. Muito simples. Vou te dizer, é uma das músicas mais simples que eu fiz na minha vida inteira. As músicas que eu fiz com João Ricardo são muito simples.

Então, vamos falar um pouco de música. Você achou que, agora uma pergunta pra musicista. Você achou que foi bem executado? Que o Gerson, o Emílio, enfim, o John, a banda, fizeram bem? A música foi bem tocada? Os arranjos foram...
São simples. Funcionam, entendeu? Hoje em dia, você vê, é tudo feito com dez mil bits pra discoteca, pra não sei o que lá. Tem milhões de coisas eletrônicas. No meu tempo não tinha esses recursos eletrônicos todos que tem hoje. Então é aquela coisa, um violãozinho e uma flauta. Era uma coisa singela, mas funcionou, funcionou. Cria uma sonoridade, aqueles instrumentos simples, aquela forma de cantar, com a voz do Ney, com aquele backing vocal do João Ricardo, aquilo funcionou. Hoje em dia, em termos de arranjo até pobre. Mas na época era a coisa adequada. Hoje em dia todo mundo pensaria muito mais sofisticado os arranjos e tudo.

Você acompanhou a gravação do disco? Como foi?
Não, foi tudo em São Paulo, eu estava no Rio. Estava grávida.

De longe?
De longe e, inclusive, triste.

Recebia notícias da gravação?
Recebia do Ney. Porque o Ney tava sempre em contato comigo. Ele vinha ao Rio, me procurava. Eu estava sempre junto. E ele, ele... Eu estive em São Paulo algumas vezes, nessa época, um pouco antes deles estourarem. Tinham acabado de gravar o disco, tava começando a acontecer o disco. Antes do estourão, mas começando a acontecer. Eu fiz até um show que ele cantou "O vira" comigo e com a Lucina, um pouco antes de estourar. Mas o João Ricardo, eu me chateei com ele, porque ele foi muito grosseiro quando ele esteve no Rio. Foi me visitar, foi grosseiro. Eu me chateei, zanguei com ele, briguei. Ficamos estremecidos, assim. Aí o grupo estourou, não entrei mais em contato com ele. Não tive mais contato com ele muito tempo. Mas sempre estando com o Ney, sempre uma relação muito boa com o Ney. Eu tenho uma ótima relação, muito agradável, com o Gerson. Sempre tive uma relação cordial com o Gerson. E quando eu reencontrei o João, tanto tempo depois, foi uma relação muito cordial. Quando ele me convidou pra largar a Lucina e cantar com ele. Nesse tempo eu estava cantando com a Lucina. Que a dupla acabou faz uns cinco, seis anos.

Não caberia mais ali, né?
Não tem sentido. Voltar pra trás, no Secos & Molhados. O tempo não volta. O tempo não volta. Tem que estar procurando, tem que estar sempre buscando. E, pra mim, eu fiz uma escolha. En-

quanto o Ney tava indo pra multinacional, se engalfinhando com o universo, e os valores e a pressão do sucesso dentro de uma multinacional, eu e a Lucina, assumimos a carreira alternativa, gravamos um disco independente, pioneiro no Brasil. Nós e Chico Mario. Ali naquele começo, entende. Arrumamos a kombi igual a uma casinha e saímos pelo Brasil vendendo disco, armando barraca e acampando com fogareiro. E vendendo disco de mão a mão, Brasil afora, "Bye-bye Brasil". Quer dizer, o Ney foi pra um lado e nós fomos pro outro. Opção de vida mesmo.

Você não tava envolvida, né? Porque você acabou de dizer que tinha ficado meio assim, chateada e tal. E se afastou. E aí você vê, de repente, aquela banda, aqueles amigos, são conhecidos, um grande amigo pelo menos. Dois, né? Paulo Mendonça, o Ney e "O vira". Porque quando veio...
"O vira" e o "Sangue latino" também, né?

Quando veio o "Sangue latino" aquilo alçou a banda a um nível já muito alto. Quando veio "O vira", o clipe do *Fantástico* etc., aí transformou a coisa numa unanimidade. As crianças abraçaram o conjunto. Não tinha mais volta, não tinha mais Censura, não tinha mais nada.
Exatamente.

O que é que você sentiu? Como você percebeu isso? De casa, vendo isso. Uma música tua, tocando em tudo que é lugar, os caras num programa de TV, enfim, enlouquecendo.
Vou lhe dizer, foi uma vitória amarga. Porque, pra mim, era muito importante que eu pudesse ter batido aquele chopp com eles. Então aquele sucesso todo não teve a comemoração, cara. Não teve a alegria, não teve o "conseguimos, vencemos". Eu tava vi-

vendo uma outra história, eu tava grávida, não estava querendo ir pra São Paulo me chatear com aquilo, tava sabendo das fofocas, da ganância em volta, de como o Ney estava brigando. Revoltado com uma série de coisas que estavam acontecendo dentro do grupo, tanto que o grupo acabou. Aquela guerra acontecendo ao invés de ser uma coisa de paz, uma coisa boa, teve muita baixaria envolvida, na época. Junto com o sucesso, teve muita ganância em cima, teve muita manipulação, muita pressão. E eu não tava a fim de nada disso, minha opção de vida era paz. Tava grávida, começando uma história nova na minha vida, depois de ter tentado várias gravidezes e perdido. Eu não tava sintonizada naquilo.

Estava virando...
Ele vinha no Rio, visitava a gente, contava as coisas e eu dizia "meu Deus, nossa!".

O Ney.
É... Quando Secos & Molhados veio ao Rio, se apresentou no teatro, eu fui assistir aquela loucura.

Qual teatro? Lá na Siqueira Campos?
Acho que foi Teresa Rachel. Mas no... Maracanãzinho eu não fui.

Aquilo lá foi uma loucura em dobro, né?
Aquilo foi.

Que outras músicas o Ney gravou, suas?
Depois, com o primeiro disco solo foi "Pedra de rio", uma canção lenta, bonita. Depois ele regravou "Aquarela carioca", muitos anos depois. Gravação muito bonita. Acho até que tem mais uma gravação, tem três vezes que ele cantou "Pedra de rio". "*Sequei o*

meu pranto. Enxuguei nesse sol. E nele um rio virei. Pedra de rio". Depois ele... Foi "Bandoleiro", aquele arranjo belíssimo, né? Aquele arranjo é uma obra prima do Mazzola. Não sei quem foi o arranjador. Mas, ô arranjo bonito. Depois continuou. Teve um disco, teve um show dele que cantava quatro músicas minhas. No show "Seu tipo" ele cantava o... "Coração aprisionado", "Me rói", parcerias minhas com a Lucina. "Bandoleiro" é parceria minha com a Lucina. Depois ele gravou um Blues chamado "Aqui e agora", que é só meu. Depois ele gravou "Napoleão", que é só minha. Depois veio, sei lá, "Êta nóis". Rolando Boldrin também gravou. A primeira vez que o Ney cantou sem máscara foi no programa do Boldrin. Nós levamos o Ney pra fazer o "Êta nóis". Tava acompanhando ele, e o Ney ficou nervoso de cantar sem o personagem, tinha que ser ele cantando. Ele teve que cantar sentado, ele ficou nervoso por ter que cantar sentado. A primeira vez que ele cantou de cara limpa foi no Boldrin, que nós levamos. E depois o Boldrin gravou essa música "Êta nóis", também. Naquele tempo do *Som Brasil*. Depois tem a última que é "Chance de Aladim". Regravou "Napoleão" com Pedro Luis. E nesse show agora, com os quatro violões, ele gravou uma versão nova do "Bandoleiro", bem espanhola. E o bis era o "Fala". "O vira" ele chegou a cantar de novo, num outro show. Teve "Bugre" também, que foi título de um disco dele, que eu não gosto do arranjo. Aquilo destruiu a música, destruiu a harmonia. Você pode mexer um pouco no arranjo, mas não pode destruir a estrutura da música, a harmonia da música. Mexeu na harmonia, não gostei. Acho que eu falei todas, não sei se eu falei todas.

O "Bandoleiro", na minha opinião, foi a música que virou o Ney, né? Eu acho. Que alçou o Ney, também, a um nível...
É... O diretor artístico da gravadora, na época, dizia que nós

entendemos a alma do Ney, eu e a Lucina. Dizia isso pra gente. Mas mais tarde... ah, ele gravou também um Blues chamado "De Marte", que é um Blues lentíssimo. Ta lá no fundo de um disco esquecido, pouca gente conhece. Porque ele vinha assim. Eu mostrava várias músicas, ele escolhia o que ele queria. Há muito tempo que ele não faz isso. Tem muitas músicas que ele poderia gravar, mas ele não faz mais isso de ouvir assim como ele ouvia. O Ney está dentro de uma engrenagem de sucesso, uma pressão constante, que a disponibilidade que ele tinha, não é a mesma.

Deixa eu te perguntar uma coisa. A estética dos Secos & Molhados...
Eu adorava.

Você, de certa forma, participou de alguma coisa?
Não. Cabeça do Ney.

Saiu tudo dele?
Da cabeça do Ney. Aquilo ali é Ney. Os outros tentaram se maquiar também, mas não chegavam nem aos pés.

E as roupas? As saias?
Ele. As maluquices dele. Já as bijuterias que ele fazia de couro, ele pegava... Ia pra Búzios, pegava resto de coisas que o mar jogava. Criava com semente, criava adereços diferentes. Ele sempre teve essa coisa assim, com figurino, o Ney. Se ele não tiver, ele vai chamar alguém que faça o que ele quer. Ele sabe o que ele quer. Ele tem uma noção de visual incrível. Mas as coisas que ele perdeu com o sucesso foi a coisa do tempo e da capacidade de fazer artesanato, que fazia muito bem pra ele. Eu tinha quadros pintados por ele na minha casa, que ele pintava comigo, ficava pintando lá,

a tarde inteira. Mas depois do sucesso, a pressão... O tempo não deixa ele em paz, ele não é dono do tempo dele. E quando quer ser dono, ele vai embora pro sítio. Ele se refugia lá, no sítio, né? Então é uma história... Depois do Ney teve Zélia. Uma pessoa que chegou inédita na nossa vida e que ajudamos também a encaminhar ela. Elas foram ficando famosas, entende? E que passaram pela minha mão, de certa maneira, assim. Passaram e que a gente ajudou a fazer links pras pessoas se... se promoverem, né? Se projetarem. A gravação que eu mais gosto do Ney é o "Bandoleiro".

Quando o vinil foi gravado, naquela época, não tinha a menor previsão do sucesso que os caras iam fazer.

Pegou todo mundo no susto. O próprio Moracy quase morreu, teve até acho que um infarto de estafa. Porque tinham que mandar prensar, mandar prensar, mandar prensar e não tinha estrutura, distribuição, todo mundo pedindo, lojas pedindo e não tinha estrutura pra dar vazão aos pedidos. Mandando prensar, isso naquela época não era como CD, era mais complicado, né? A fabricação de um disco era um processo mais lento. Então eles ficaram que nem loucos, né? Não tinha vinil... Que chegasse pedido de disco. Foi uma loucura, nego trabalhou muito.

Como é que o Moracy entrou na vida deles?

O Moracy era o produtor da gravadora, que não era uma grande gravadora. Não era a gravadora principal da época, era uma gravadora mais nacional, a Continental. O Moracy era o produtor da gravadora. Era um cara simples. Só que ele acreditou no grupo, fez força. E ele foi o "pé de boi", o cara que fez acontecer. O cara que ficava ali, virava noite no escritório fazendo pedido, mandando pra rádio, o cara que trabalhou, que fez mesmo a divulgação do disco e a distribuição. A parte de escritório, a parte de produção, foi toda dele, entendeu? O cara teve até estafa, cara. Ficou que nem louco. Trabalhou muito, muito mesmo. Ele foi muito importante, muito importante.

O cara brigou pela banda.
Foi… Um cara legal, um cara gente boa, mas era um cara simples. Que não tinha aquelas manhas, de quando começaram a chegar os "gavião", querendo pegar, também, querendo bicar aquela carniça ali, ele não tinha aquela manha, de lábia, pra isso. Ele era um cara trabalhador, o cara que acreditou no grupo, que viu o grupo acontecer. Deve ter sido bastante ludibriado também, na época. Deve ter sido alvo de muita sujeira, também, imagino.

Na verdade, a primeira pessoa que levou a apertada foi o Moracy, no final.
O Ney contava as histórias, vou te dizer uma coisa. O Ney vinha de São Paulo contando aquelas histórias, eu dizia "ainda bem que não estou nisso. Ainda bem que não estou perto disso". Nunca imaginava que aquele sucesso que a gente queria tanto que acontecesse, fosse acontecer assim. Um sucesso que era uma guerra, não era uma paz, não era uma alegria. Era uma raiva, uma coisa cheia de ressentimento, cheio de… Um querendo comer o outro, entendeu? Até que o Ney resolveu sair. Foi difícil pra ele sair. Mas se chegou ao ponto de ter que sair, é porque ele não aguentou mais, entendeu? Era muita gente querendo explorar, querendo enganar, querendo roubar. Pronto, falei a palavra, roubar. Falei! Muita gente querendo roubar.

Isso afetou o grupo todo, de uma forma geral, não só o Ney?
Não.

Os outros disseram isso também?
Agora que vem aquilo que eu falei antes. O João era um cara muito novinho, um garoto, cara. Não tinha estrutura emocional praquilo. É muita pressão em cima dele. E depois, o Ney era um cara bem-resolvido sexualmente. Era um cara, como pessoa, mais resolvido. O João era um garoto, não sabia de nada. E aquela loucura sexual toda em cima. Ah, eu acho que deve ter dado alguma pirada. O Gerson é uma pessoa mais tranquila, mais contemplativa.

E jovem também, né?
Também jovem, mas ele tinha uma personalidade mais... mais isenta. Por personalidade dele, é uma pessoa mais isenta. Mas assim, também nunca mais fez nada que tivesse vulto. O pique foi ali. E o Ney continua.

A gente esteve com ele.
Nas vezes em que eu encontrei com ele, foi sempre gentil. Mas eu nunca tive uma relação íntima com ele. Eu tive um momento muito intenso com o João, que depois já separou. E uma vida inteira de amizade com o Ney. Muita coisa em comum, muita coisa vivida. E eu tenho com o Ney um laço muito forte, uma coisa espiritual, porque a gente tem um diálogo em cima disso. A busca espiritual dele, que ele me conta e eu conto pra ele. A coisa espiritual que a gente compartilha muito.

E o Paulinho Mendonça? Como que ele "entrou" no grupo?
Paulinho é uma pessoa maravilhosa, uma pessoa encantadora. Todo mundo que conhece o Paulinho fica fulminado com o encanto dele. A simpatia do Paulinho e a inteligência. Uma pessoa com a inteligência do Paulinho, com a simplicidade e simpatia que ele tem, é uma combinação encantadora de personalidade.

Paulinho é uma pessoa... Um amor, era amicíssimo do meu marido, ficou muito meu amigo, meu parceiro. Dava uns textos pros meus 4 alunos musicarem na aula. Ia ele com a mulher dele lá pra casa, sempre com aquela coisa de turma. E eu tenho pouco contato com ele porque, depois que eu saí do Rio, fui morar num sítio sete anos. Esse tempo que eu assumi ser hippie mesmo, eu perdi o contato com as pessoas, entende? Eu parei de procurar. A gente foi viver na Ilha de Robinson Crusoé, sabe aquela coisa? Viver uma outra história. E depois disso o Luis teve um convite para trabalhar em São Paulo. Como sócio de uma firma... Fazendo de... fazendo direção de arte. E aí nós fomos morar em São Paulo 7 anos, quando a carreira de Luhli e Lucina começou, então eu fiquei 14 anos longe do Rio. Sem procurar ninguém. Quando você volta pro Rio, depois de 14 anos, com marido doente canceroso... Como é que vai ser? "Oi, fulano, como é que...". Não dá mais. Você está defasada das pessoas. Então eu desconectei, entende?

Como o Paulinho surgiu, dentro dos Secos & Molhados, pra fazer o "Sangue latino", por exemplo?
O João Ricardo conheceu o Paulinho através de mim.

Na sua casa.
Na minha casa. Através de mim. E o Paulinho chegou na nossa vida, como eu falei, fazendo parte da equipe do filme do Reginaldo Farias, um filme chamado *Pra quem fica, tchau*. O Luis foi trabalhar no filme, o Paulinho era assistente de direção. Daí que fez amizade. Era o Paulinho, Claudio Tovar era o cenógrafo do filme. Daí começou... E o Reginaldo era o diretor do filme. Antes do Reginaldo começar a fazer Globo, televisão. Fazia só cinema. E o cara que estreou nesse filme como ator, primeiro filme, foi Stepan Nercessian, que era um garotinho na época, olha só que

coisa antiga. E aí esse grupo teve uma liga muito grande. Eu com Luis, o Claudio Tovar, o Paulinho com a mulher, o Reginaldo tava separando da mulher na época e ia sempre lá pra casa tocar violão clássico. Toca violão clássico muito bem o Reginaldo Farias, sabia? Toca muito bem, tinha músicas lindíssimas. E eu dei a maior força pra música dele. A gente ficava tocando violão até tarde. Ficamos muito amigos. Tinha mais o André Adler. Enfim, era uma "tchurma". Nessa época, o Ney tava lá em casa, o Ney entrou na turma também. Todo mundo encantado com a voz do Ney, todo mundo adorando o Ney. O Ney ficou amigo de todo mundo também. Tanto que... o Ney era Ney de Souza Pereira. A gente tentando achar um nome artístico pra ele. Com que nome ele vai ser lançado? Com que nome? Aí o Ney chegou pro João, porque o nome que ele queria era "Claudio Tovar", porque ele achava o nome incrível. Ele queria que o nome dele, artístico, fosse esse. E ele não conseguia, porque Ney Pereira é feio, Ney Souza era esquisito. E em São Paulo, lá que ele teve a ideia de botar o nome do avô, que assinava Matogrosso, aí ficou Ney Matogrosso. Quer dizer, essa turma. E Paulinho conheceu João lá em casa. Tudo foi daí. Deu uma letra pro João musicar.

Que foi o "Sangue latino".
Única, mas também, que música, né?

Exatamente. Eu vi uma frase, de uma pessoa um dia desses, que dizia isso, só precisava ter vindo pra escrever isso. Depois não faz diferença.
O Paulinho escreve muito bem. A obra que o Paulinho está com a Lucina, no momento, é uma coisa. Eles voltaram a se encontrar, de uns dois anos pra cá. A Lucina teve em contato com um amigo da esposa dele. E voltaram a compor juntos. Paulinho

passou muito tempo sem escrever poesia, voltou a fazer letras com a Lucina. Estão com uma obra lindíssima, cada música mais linda que a outra. Paulinho é um excelente letrista, um excelente poeta. E tem é que publicar um livro. Porque ele é um economista famoso, um jovem economista brilhante. Agora está mexendo com televisão, né? Eu tenho pouco contato. Quando eu vou no show do Ney, eu o encontro no bastidor. Aí é aquela festa, a gente se beija, se abraça, diz que vai se encontrar, não se encontra nunca. Eu to morando no Rio tem algum tempo, alguns anos que eu moro no Rio. Mas a verdade é que eu desconectei. Eu passei muito tempo vivendo uma outra história. E quem eu mantive contato esse tempo todo, mesmo estando vivendo uma vida alternativa, foi com o Ney, sempre. É que a amizade era muito grande. A amizade da gente é muito... Minha amizade com o Ney é muito forte. É uma coisa muito funda.

Como você vê, depois de quase 35 anos, né?
Mais. Isso foi anos 1970, 40 anos.

Como você vê esse disco dos Secos & Molhados hoje? Você acha ele atual? Você acha ele moderno? É um disco que, se fosse lançado hoje, faria sucesso?
Em termos de arranjo, a sonoridade é muito ingênua. Eu acho que se ele fosse lançado hoje, ele precisaria ter um pouquinho mais de sofisticação, inclusive de gravação. Naquele tempo não tinha os recursos que tem hoje. Eu acho que o repertório, hoje, já não teria a repercussão que teve naquela época. Porque, hoje, uma música de protesto não ressoa da forma que ressoava no tempo de censura. Nem a libertação sexual, hoje, o Ney representaria. Na época, andrógino teria o mesmo valor em tempos de AIDS. É aquela coisa, a pessoa certa, num lugar certo, numa hora certa.

Praquele momento ele foi à coisa perfeita. Era exatamente o que o público precisava. E foi um dos últimos sucessos espontâneos do Brasil, não fabricados por mídia. Foi uma coisa que tomou, foi incontrolável. Aí depois disso teve um grande sucesso espontâneo, que foi aquela que Caetano gravou com Peninha ["Sozinho"], que estourou. Foi também um sucesso espontâneo. Mas, de vez em quando, o povo toma a frente da mídia pra eleger uma música, pra eleger uma coisa. E Secos & Molhados era a voz do povo, naquele momento. Era um grito amordaçado que saiu. Eles significavam a boca de milhões de pessoas que não podiam falar naquele momento. O Ney foi a voz dessa libertação. O João foi a cabeça. Agora, agora é continuar, né? Continuar, sempre alguém gravando "O vira" e eu espero, realmente, que os intérpretes se liguem que da onde saiu essa tem muito mais, músicas e músicas e músicas.

Deixamos de falar alguma coisa? Você gostaria de falar?
Um beijo pro Ney. Eu vejo ele muito menos do que eu gostaria, mas a vida é assim mesmo. E minhas saudações, e agradeço ao João Ricardo. Agradeço ao Reginaldo Farias, ao Roberto Farias, porque, se não fossem eles, eu não iria pra São Paulo, não conheceria o João Ricardo. Ao Luis Antonio que era o dono do bar... É uma corrente de pessoas, né? Ao João, ao Moracy, que foi um cara muito legal, ao Gerson, tenho um carinho por ele. Ao Sergio Rosadas, meu querido amigo flautista, que eu não vejo há um tempão. Ao Tato Fischer, que tocava no piano também, ele estava nessa história também, que é um grande amigo meu. E ao Zé Rodrigues, que estava envolvido nessa história de uma maneira. Ao Ari Brandi, que era o fotógrafo, que chegou a ser sócio do meu marido, uma pessoa que eu tenho muito carinho. E a todos vocês, e principalmente, Ney. Meu coração, estamos aí. ⬤

O VIRA
(João Ricardo - Luli)

O gato preto cruzou a estrada
Passou por debaixo da escada
E lá no fundo azul
Na noite da floresta
A lua iluminou
a dança a roda a festa

vira, vira, vira
vira, vira, vira homem
vira, vira
vira, vira lobisomem

Bailam corujas e pirilampos
Entre os sacis e as fadas
E lá no fundo azul
Na noite da floresta
A lua iluminou
A dança a roda a festa

vira, vira, vira
vira, vira, vira homem
vira, vira
vira, vira lobisomem

SANGUE LATINO
(João Ricardo - Paulinho Mendo

Jurei mentiras
e sigo sozinho.
Assumo os pecados.
Os ventos do norte
não movem moinhos,
e o que me resta
é só um gemido.

Minha vida, meus mortos,
meus caminhos tortos.
Meu sangue latino.
Minh'alma cativa.

Rompi tratados,
traí os ritos.
Quebrei a lança,
lancei no espaço:
um grito, um desabafo.
E o que me importa
é não estar vencido.

Paulo Mendonça

Paulo, conta pra gente, como se deu a sua ligação com o Secos & Molhados? Como foi o começo de tudo isso?

Eu sou amigo de Luhli e... Na verdade eu sou amigo antes de tudo do Luis Fernando Borges da Fonseca, que foi o marido de Luhli. Isso gerou uma aproximação de turma, Luhli, por decorrência Ney. Do próprio filme do Roberto Carlos, que foi filmado em São Paulo, dirigido pelo Roberto Farias, houve uma aproximação de Luhli, Luis Fernando com o João Ricardo e isso terminou gerando uma coisa de turma, uma coisa de patota que eu acho que é como as coisas começam. Eu tenho a sensação que os Secos & Molhados começou com uma coisa de um grupo de amigos, que veio se encontrando sob essa coisa mágica da vida, né, que são os encontros.

Que turma era essa? Fala um pouquinho dessa turma.

Luhli, Ney, Luis Fernando, eu, Claudio Tovar, que foi dos Dzi Croquettes e... Se você olhar o desempenho do Secos & Molhados, tem tudo a ver com um certo movimento que ocorria naquela época... Os Dzi Croquettes do Rio, aquela peça infantil que a minha mulher na época fazia com o Tovar, que era chamada *O jardim das borboletas*, dirigido pelo André Adler. Isso tudo com sempre uma alegoria, uma postura interpretativa muito alegórica, muitas pinturas e tudo mais que, de uma certa forma, terminou sendo absorvido também pelo Ney especialmente, inicialmente pelo Ney... Depois com o convencimento do João

Ricardo e Gerson. Mas é isso, é essa... esse entorno que propiciou essa coisa.

Você já era amigo do Ney?

Já, já era amigo do Ney.

Foi a Luhli que te apresentou?

Foi Luhli que me apresentou.

Porque ela era amiga, muita gente orbitava...

Luhli é uma figura polarizadora. Eu comecei a trabalhar com o Luis Fernando no filme *Pra quem fica, tchau* (1971), dirigido pelo Reginaldo Faria, onde eu era o assistente de direção e fiz algumas das músicas com Jorge Omar e com o próprio Reginaldo Farias. E o Luis Fernando era o still e, a partir daí, nós fizemos uma amizade muito sólida. Por decorrência uma aproximação com Luhli, e aí Luhli e Ney... Foi a primeira gravação do Ney, a música desse filme, uma música minha e do Reginaldo chamada "Estrada azul" e... E a partir daí essa coisa se irradia, se tornou num astro muito fraterno.

E como você acabou conhecendo o João Ricardo?

No processo... Eu me lembro exatamente: estava chegando num domingo à noite na casa de Luhli e estava o João Ricardo, que tinha vindo de São Paulo ver o Ney. Ela tinha estado com ele em São Paulo por conta, na época, desse filme do Roberto Carlos, e ela sugeriu que ele ouvisse um amigo dela que tinha uma voz excepcional... Ele tava procurando um vocalista pra Secos & Molhados. Eu me lembro exatamente da gente estar chegando lá num domingo à noite e está o João Ricardo tocando, e aí também fizemos um começo de uma sólida amizade.

Você tem ideia de como a Luhli encontrou o João Ricardo?
Foi em São Paulo... Por ocasião do filme. Eu acho que aquela coisa de buscar coisas alternativas. Tinha uma, tinha uma casa ali, né, chamada o Kurtisso Negro, uma casa de show bem alternativa, eu acho que Luhli frequentava, ela tinha convocação, frequentava esses espaços, e tava lá tocando João Ricardo com o que eram os Secos & Molhados na época que era, eu acho que era ele, o Pitoco, que era um violonista, e não sei se tinha mais alguém, não me lembro. Por essa ocasião, mas eu não o conheci. Mas Luhli sim, acabou fazendo uma amizade grande com ele, com o João. E aí, daí aproximar da turma dela, da sua patota foi fácil.

E o que é que você achou quando você encontrou esse pessoal? O que é que você achou? Porque era uma turma que vinha de São Paulo buscar colaboradores, não é? Na verdade era isso que ele tava fazendo aqui.
Era, eu acho que ele estava pensando. Eu não sei nem se ele estava buscando um vocalista, né... Eu acho que foi muito mais uma relação de confiança dele com Luhli e acreditando que o Ney tinha uma voz excepcional, e tinha, não é?... Mas o impacto que me trouxe me fez ver uma figura extremamente interessante em termos musicais, em talento. Eu me lembro dele tocando violão, uma gaita acoplada... Era um show, parecia muito original, na época uma música pequena, mas muito criativa, né... Poucos compassos, mas uma coisa muito rica, muito rica em termos melódicos, né. Então foi realmente uma coisa que me impressionou desde o começo.

Tinha alguma coisa a ver com folk, você acha?
Tinha, tinha... Era uma coisa... O country passava, era um rock meio country... Beirava essa prainha.

Crosby, Stills, Nash...

Crosby, Stills, Nash and Young, exatamente.

...pinceladas...

É, tinha, tinha... O rock se fazia na época com uma série de influências, meio Beatles também, de uma certa forma, numa ou noutra música. Mas eu acho que talvez a maior predominância seja esse lado meio folk assim.

E como você acha que aconteceu de você se tornar parceiro do João Ricardo, conta pra gente essa história.

Nós nos tornamos muito amigos, nós temos muito... Não sei se temos ainda, tem muito tempo que não vejo o João, mas achamos muita identidade. E se discutia muito sobre essa coisa do que seria Secos & Molhados, toda essa possibilidade. Um dia eu chego em casa do trabalho quando o João tava lá em casa e tinha pego uma letra minha, uma poesia que tava em cima da minha escrivaninha e tinha musicado, música linda... Mas pra mim houve constrangimento, aquela era a letra de uma música que eu tinha feito com Jorge Omar, que chegou a fazer arranjos pra um dos discos dos Secos & Molhados, foi diretor musical no segundo disco do Ney e que acabou também saindo por um desvio desses qualquer, talento fantástico, violonista e excelente compositor. Quando aconteceu aquilo, pô... Saia justa, né, não tem jeito e não foi muito agradável pra ninguém. Mas eu acordei à noite e escrevi com aquilo que eu achava que fosse a música que o João tinha feito, né... A música que ele tinha posto, o "Nada de novo", que era essa música do Jorge Omar... E, na verdade, não era, mas o João, com o talento que ele tinha, acabou fazendo primeiro essas músicas, foi o "Sangue latino".

A música veio primeiro, então...
Não, eu não sei... Eu não sei te dizer.

Ele musicou.
Ele musicou uma, eu botei uma outra letra em cima do que eu acreditava que fosse aquela música, mas não era também. Então foi uma coisa meio híbrida, né, meio... mediúnica talvez. [risos]

Ele estava na sua casa, é isso?
Estava, eles ficavam na minha casa, sempre...

O sistema na sua casa era com você fazendo outras coisas...
Eles iam chegando, não é? As pessoas iam chegando e iam ficando.

Sem avisar, assim?
Não, eu sabia que as pessoas iam chegando... Porque vinha de São Paulo. O Gerson, não me lembro onde o Gerson ficava, Ney ficava sempre lá em casa...

Sei, sei, sei... Mas então, vocês fizeram juntos ao mesmo tempo ou...
Não, foi separado...

Não, eu estou dizendo, vocês sentaram juntos pra finalizar?
Não, não. Ele, quando eu dei a letra, ele começou, levou... Não era bem a que ele tinha feito e de repente ficou uma música do cacete. E aí foi, e aí eu só ouvi a música depois no rádio, no rádio tocando.

E o que é que te levou a escrever a letra do jeito que a gente conhece, aquele assunto todo...

Fazia parte das minhas preocupações na época... E eu acho essa questão do latinismo, a metáfora pelo momento político pra você poder escrever alguma coisa sobre o momento político que se vivia no país... Ou seja, foi a maneira de você exprimir esse tipo de coisa. Eu acho que eu sempre estive muito engajado com esse olhar latinista, né, acho que é uma luta que continua até hoje, eu continuo sendo, pelo menos, aficionado da cultura latina.

Por que?

Olha, o porquê que as coisas acontecem na vida da gente sabe...? Não sei... Talvez por eu ter gostado de numa determinada fase muito recente da minha ter descoberto Borges, ter descoberto Cortázar, o meu primeiro filme, um curta que eu dirigi é baseado num conto do Cortázar, ou seja, é sempre o olhar da literatura... Eu acho que como eu sou um letrista, ou seja, a origem das coisas sempre parte da ideia literária, não é? Isso fazia parte da minha maneira de entender, ou de pelo menos buscar entender como eu deveria me posicionar num mundo meio arredio como aquele que era o Brasil da época. E, então aquilo, exprimir, estava expressando exatamente o que eu gostaria de dizer, ou seja, sobre a minha posição pessoal, a minha maneira de entender e de me posicionar diante daquelas coisas né...

Eu me lembro nessa época, eu tinha treze anos... [risos] E quando essa música apareceu no rádio, ela tinha alguma coisa de absolutamente novo, o som era novo, a sonoridade, era uma sonoridade completamente, não tinha ouvido nada parecido antes... [risos] Foi uma comunhão de letra e música muito feliz na verdade, tanto que resultou num

sucesso de rádio, um sucesso absolutamente não óbvio... Essa música falou direto com as pessoas, mas por outras razões, na verdade.

Eu acho, verdade... A sensação que eu tenho é exatamente essa, interessante isso, porque acho que num momento, o que é que existia no Brasil, existe um vazio cultural muito grande... Caetano, Chico, ou seja... O pessoal estava saindo, no momento existiu um momento de meio, uma festividade meio afetiva, ou seja, era a época do desbunde... E eu acho que de repente surge alguma coisa que tem um olhar reflexivo sobre a situação política do país... Ou seja, metaforicamente falando, mas não tão metaforicamente por não permitir que as pessoas entendam o que está sendo dito ali.

Na hora em que, vamos chamar assim, a "liderança" da música brasileira teve que ir pro exílio. Que sentimento foi esse, que você mencionou, o "vazio"... Baixou uma tristeza em todo mundo, assim de ver as figuras principais da música popular brasileira tendo que se retirar do país?
Era... Foi um momento de perplexidade, eu estou falando... Não quero generalizar, mas eu posso falar por mim, que vinha de uma linha, uma atuação política um pouco mais, mais drástica e que por motivos e outros eu tive que me adequar às realidades de uma vida. Eu me lembro de uma coisa que dizia, num momento definitivo, alguém me disse "bandidar é fácil", né... Então opção era isso, ou você bandida, ou seja, vai partir pra uma determinada vertente ou você vai desbundar ou você vai ter que estar dentro do sistema competindo com as tuas, com aquilo que você entende que são virtudes e são convicções. Então... ali, a opção tinha sido feita, "olha, eu não vou desbundar, não vou bandidar e estou dentro do sistema com as minhas convicções". Então ex-

pressar aquilo foi o... como substanciar tudo isso no momento, talvez, é... dizer essa coisa toda e poder ter dito nesse momento... A gente estava com... Ou era o desbunde ou era uma opção política alternativa, bem pesada... Isso gerou muita perplexidade, mas gerou também muita criatividade, não é... Não quero, não gostaria de dizer que a repressão favorece a criatividade, mas em verdade exigiu que você tivesse, pra poder pensar aquilo que você gostaria de falar, você encontrasse meios criativos pra isso. Então acho que foi um momento muito rico, às vezes muito alegre, muito divertido também... mas foi também um momento de muita perplexidade.

Vamos voltar pro "Sangue latino". João Ricardo musicou uma outra letra que você fez, foi na mesma noite, assim, foi de um dia pro outro...?
Ele tinha musicado quando chegou, ele deve ter chegado no final da tarde, musicou essa letra que ele encontrou, é... Na madrugada eu escrevia o "Sangue latino", de manhã nós estávamos na praia, foi entregue e no dia seguinte ele tinha ido embora com a letra e com a música pronta e que eu não conheci, só ouvi por rádio.

Deu trabalho escrever essa letra?
Não cara, foi mediúnico, foi uma coisa de, meio espasmódica...

Você "recebeu". [risos]
É, acordar de noite... Isso acontece às vezes comigo, de acordar de noite e escrever até a coisa pronta, né... Normalmente é muita transpiração, mas essa, esses casos são os casos mais agradáveis.

Alguma coisa do dia a dia assim, você para e...
E está pronto, isso. No carro, no carro ajuda muito... Banho, chu-

veiro na cabeça é ótimo pra você resolver todas as suas dores e escrever música.

Você ouviu a música no rádio, o que você sentiu quando você ouviu?

Puta emoção, cara, uma puta emoção... Porque eu já sabia que a coisa tava acontecendo, eles me diziam, né... O João me dizia "Olha, está acontecendo em São Paulo, está ouvindo", mas o Rio a gente estava... Naquela época tinha uma distância enorme entre Rio e São Paulo... Então a coisa não aconteceu aqui. Na verdade eu não ouvi no Rio no rádio, eu ouvi numa loja de discos... Eu estava na rua da Alfândega, na Eletrosul... E eu estou sentado na minha mesa e tinha uma puta loja de discos numa esquina que tocava o pior tipo de música em altos brados. De repente eu comecei a ouvir uma coisa que me surpreendeu... "Caralho, é ela!... É o 'Sangue latino'" em pessoa... Foi aí, e logo depois veio o *Fantástico* e logo depois do *Fantástico*, veio o estouro dela na rádio, aí a gente ouvia muito, muito...

É, a primeira música de trabalho do LP, na verdade.

Porque na verdade ele não estava nem no disco, ele entrou na última hora... Eles já tinham um repertório conceituado pra ali e essa foi a música que João fez aqui no Rio, quando voltou pra gravar e acabou entrando em última hora. E eu acho que ninguém esperava que ela pudesse ser, porque, como você diz, é uma música difícil, né, uma música com toda originalidade.

É, às vezes uma música despretensiosa, que simplesmente você considera boa para aquele repertório, ela acaba se destacando ali no meio, no meio do disco, isso também acontece bastante. [risos]

Como eles eram muito independentes, eu não posso te jurar que as coisas sejam assim, mas a posição deles sempre foi muito, um caminho muito próprio, eles sempre souberam... O João sempre foi muito forte nesses posicionamentos sobre o que ele queria, eu não acredito que tenha havido influência comercial de gravadora e nem de coisa nenhuma, eu acho que deve ter sido muito uma, um direcionamento por convicção deles.

Foi só essa música que você fez em parceria ou teve mais alguma coisa pra disco que acabou não entrando?

Para esse disco foi só essa, depois pro segundo eu fiz algumas outras, e nós fizemos outras músicas também que creio que não tenham chegado a ser gravadas e fazia seleção de alguns dos textos já do segundo disco. Eu não sei se no primeiro tinha. Esse disco ele tem uma, ele ficou pra mim no tempo e no espaço parado, eu acho que o teu trabalho de resgate do disco, quando você fez isso é que ele se tornou de novo audível e tornou a me encantar. Eu acho que eu tive a mesma emoção ao ouvir essa música, como eu tive quando ouvi naquela loja de disco tocando. E foi importante não só pra mim, exceto uma ou outra regravação do "Sangue latino", é que fui perceber o quanto esse disco era bom, não o quanto ele foi importante, mas ele feito na época em que foi feito, com as limitações que tinha... Melhor, moderno... E desse teu resgate, ele propiciou, por exemplo, que os meus filhos, os meus dois filhos que são músicos tomassem conhecimento, soubessem que eu já estive metido em coisas que foram legais. [risos]

[risos] Mas mídia é importante, seu formato é importante... O veículo, isso é superimportante, como a gente se comunica com as gerações... E na verdade eu acho que isso nem é... O que aconteceu é que simplesmente fiz um projeto a

partir de uma demanda que existia Comecei a perceber a necessidade disso, além de ser fã dos discos, é um absurdo a gravadora não ter cuidado, e acho que pra atrair a atenção deles eu propus fazer uns projetos bons, como algumas bandas inglesas estão refazendo… estão remixando seus discos… havia as limitações técnicas, muita gente acabou remixando o seu trabalho… E eu fiz essa continuidade…
O primeiro disco até que eles tinham um conhecimento, as pessoas tinham lembrança dele… Mas o segundo muito pouca gente conhecia… E é um disco fantástico, moderníssimo… Hoje, se você ouve…

É que esse aqui na verdade é um ícone da nossa geração, não é? Por que você acha que ele resistiu tão bem ao tempo e cercado de uma certa magia assim, como as pessoas falam desse trabalho, músicos ou não músicos, têm carinho, respeito, uma associação… Tem tanta coisa pra falar desse disco, vamos tentar explicar um pouco isso.
Eu acho que ele está revestido daquela qualidade que seria inerente a qualquer tipo de bom trabalho independente do tempo, ou seja, que é você buscar não estar na moda. Esse disco ele foi feito em parada, a tua lembrança no folk é muito mais por uma questão de informação dos caras do que o objetivo de você perseguir um tipo de sucesso ou não. O som deles era isso… Quem fazia música era roqueiro, tinha esse olhar roqueiro, mas tinha também a preocupação de você ter o rock com textos mais consistentes… Então as letras ganharam importância, eu não estou falando do "Sangue latino", eu estou falando de todo o resto, né… Que está embutido nisso. E uma coisa mágica, que era a voz do Ney, né, isso foi uma coisa realmente mágica. A postura deles em cena ajudou e muito, mas eu acho que a voz do Ney era uma coi-

sa que traria, puxaria esse sucesso de qualquer forma... Eu acho que um bom repertório, ou seja, boas músicas — e são músicas extremamente criativas e geniais —, se a gente fala de "Rosa de Hiroshima", do Gerson com uma letra preciosa de Vinícius... É, cantada pelo Ney, aquilo é... A primeira vez que eu vi é que você fica, chorar de tão bonito, que era inacreditável que pudesse acontecer. João, eu acho que caiu como um compositor, mas é muito inspirado, com poucos instrumentos, poucos elementos, ele conseguia fazer músicas e faz, acredito. As últimas coisas que eu vi dele estão igualmente interessantes... E essa proposta de você trabalhar com textos de poetas e que significou uma coisa diferenciada, né... Eu acho que essa, essa é a magia, a magia está em não fazer concessões.

Tem um ponto interessante aqui que a gente está falando, que é o rock brasileiro nesse momento... teve um momento... Não vou falar mal de gente que eu admiro, mas é fato que embora você já fosse, tentasse ser libertário, tinha um pouquinho a ver com essa coisa de desbunde na medida em que as letras estavam ali simplesmente pro cara poder cantar... Na verdade a atitude estava mais na roupa, no som pesado ou no som que você fazia... Mas algumas letras também não aprofundavam muito a questão... Em São Paulo, vivi esse período bem. Mas isso era escapismo: "Eu quero pegar meu rock e ir pra estrada"... Não tinha enfrentamento, muita gente optava por isso. Esse disco que você tem aqui não é assim, tem o som rock, a sonoridade que no Brasil é tão difícil de chegar numa gravadora grande... Poucas gravadoras contrataram bandas de rock naquele período. E também tinha o que você falou, uma ligação com a literatura, com a poesia, com a preocupação com a situação, não é?

Eu acho que é exatamente isso, acho que é exatamente isso... A gente estava dentro, a proposta deles era de estar dentro. Ou seja, não vamos ceder ao escapismo, ou seja, a ideia é política, João era um cara extremamente politizado... Esse olhar prevaleceu sobre todas as coisas. Tem um outro aspecto que eu acho que também é preponderante, que é a história deles não ter sido fruto da indústria, quer dizer, eles correram em paralelo. Eles entraram numa, eles atropelaram por fora, tem aí a figura importantíssima do Moracy do Val, que exerceu esse link com a indústria, o elo da comunicação se dava através do Moracy, mas o trabalho ocorreu fora, era alternativo, era visionário... Fosse o que fosse ele não tinha um viés da indústria. Me lembro que na época diziam que era um projeto de marketing, na época não se falava no marketing, não se identificava. Não era, foi espontâneo, absolutamente espontâneo... Eu acho que essa espontaneidade é que criou esse diferencial do trabalho dos caras. Eu acho que isso é que faz com que a coisa ainda seja viva hoje, esteja viva hoje...

Você conheceu Moracy do Val?

Conheci. É uma pena, porque ele tem um olhar de inserção do grupo na indústria que é legal, isso a gente não sabe, mas ele foi uma figura importante, ele foi o quarto dos Secos & Molhados... Ele tinha uma paixão, o mesmo nível de paixão e acreditava naquilo, era entregue.

Me parece que ele se apaixonou e se tornou empresário, não era isso?

Ele era jornalista, né... Ele era um jornalista musical desta última hora... E eu acho que daí que ele conhecia o João Ricardo porque o João também era jornalista da *Última Hora*... E, acho que era *Última Hora*, São Paulo, não sei exatamente, mas eu acho que os dois trabalhavam juntos, é uma...

A figura do empresário em muitos casos é fundamental...

Mas isso nunca foi um empresário profissional, ele era um apaixonado, apaixonado...

Tem várias coisas que me chamam atenção nesse ponto que ele falou... Que é um disco que é bom por isso, tem rock, tem o som que as pessoas também talvez estivessem querendo ouvir na época de artistas brasileiros, que muita gente que falava assim, eu não quero ouvir, eu não quero ouvir o último disco do Led Zeppelin, eu quero ver alguém do Brasil fazendo um rock brasileiro. Esse rock aqui é brasileiro, você acha?

Acho... Ele é brasileiro, ele é português, né, o João é português... "O vira" está aí, o grande sucesso do disco foi "O vira"... Então ele é um autêntico disco brasileiro... Está lá aquela coisa que produziu essa geleia que acabou produzindo um, talvez um propulsor do rock brasileiro mesmo. Porque eu acho que muita coisa se originou sem que isso fosse uma determinante. A música que eles sabiam fazer era a música que eles gostavam de ouvir, então acabou redundando nisso.

Tem um tempero brasileiro aqui... Tem uma brasilidade, uma latinidade...

Tem, tem, tem... Eu acho que a gente está falando de poesia brasileira... Apesar de você ter o rock, você tem um âncora, um texto identificado com o que existe de melhor na poesia brasileira.

Vamos falar do Ney agora. Acho que a gente precisa falar um pouco mais, analisar um pouco a figura dele... Como é que ele entrou no projeto, como é que ele se encaixou no projeto? E por que é que ele acabou se tornando a figura principal do grupo, de certa forma.
Não, sem dúvida.

Tanto é que ele está aí até hoje como artista. É, inegável isso. A figura principal aqui, não é...
O Ney era um homem à procura do seu destino, o que eu faço dessa coisa toda... Ele é *outsider* mesmo, ele é a pessoa mais alternativa que eu já tenha conhecido, com menos concessões que alguém já tenha feito... E dentre isso, ele tem dentro das possibilidades ser ator de teatro ou cantor, né... Com aquela voz privilegiada que ele tinha, naturalmente deveria ter sido um cantor e identificado mais cedo. Só foi reconhecido quando o João Ricardo veio pinçá-lo quando ele tinha 30 anos de idade. É, ele tinha nessa época acho que cantado uma música num festival, cantado a música minha e do Reginaldo do filme, no *Pra quem fica, tchau*, e cantava com Luhli. Mas fazia artesanato, era fundamentalmente um artesão. Quando essa coisa aconteceu, aconteceu com naturalidade, como acho que todas essas coisas acontecem na vida do Ney. Acho que nada foi programado, ele nunca vinha forçando a barra pra coisa nenhuma e as coisas vão acontecendo com absoluta naturalidade... De repente ele tava dentro... Quer dizer, ele tinha uma peça pra fazer em São Paulo que justificava ele estar ensaiando com os Secos & Molhados, e só alguém com esse tipo de independência, esse tipo de liberdade propiciaria elaborar uma proposta como a que foi a proposta de apresentação dos Secos & Molhados. Quer dizer, é esse o olhar que talvez seguramente um músico nunca teria, não? Haja visto que o bate-

rista Marcelo acabou saindo fora por não acreditar. E aí fui levar a proposta. O que eu acho que também facilitou, a sua atuação no palco... Na medida em que, por ser também uma pessoa muito tímida, e naquela época muito mais ainda... Eu acho que a máscara propiciou que ele pudesse ter esse tipo de desprendimento, que ele teve na sua performance de palco.

Duas coisas... Primeira, a voz dele no rádio era uma coisa absolutamente diferente... Naquela época, 1973, quando aparecia, você ouvia no rádio o "Sangue latino", o que é que as pessoas falavam, você lembra?
Lembro, lembro...

Muita gente achava que se tratava de uma mulher...
Mulher... É, eu acho que tive inclusive que encontrar rótulos. Uma "androgenia", a tendência que a mídia tem de tentar rotular tudo, ou seja, os andróginos e coisas do gênero que é fruto dessa estranheza que a voz dele propiciava. O que a gente sabia que era um contra-tenor genial, uma coisa que é... Logo depois ele fez... o Roberto de Regina, cravista, o convidou pra fazer isso... Gravaram alguma coisa que eu nunca mais soube onde ele fez, onde talvez tenha sido melhor aproveitado o timbre de voz do Ney... Duas músicas, não sei feito pra quem... Mas é uma coisa mitológica, mas era isso, talvez os olhares mais sofisticados permitiam entender que ali tinha uma pessoa rara.

E depois disso teve não só, não bastava somente a voz do Ney, a sonoridade extremamente diferente, aí vem a apresentação deles, né, na televisão... E aí...?
A televisão foi fundamental, o *Fantástico* foi determinante pra coisa porque foi aí um assombro. Lembro do dia seguinte, das

pessoas falando sobre isso, sobre o que é que era aquilo, que particularmente também tava próximo dessa coisa toda...

O que é que as pessoas diziam?

Assombro, assombro... O olhar era de perplexidade... "O que é que era aquilo?"... Cantando o quê? "Sangue latino", que era uma coisa também com a mesma estranheza, exatamente isso. Então isso causou um impacto enorme, foi a partir daí que a coisa começou a bombar nas rádios, pelo menos aqui no Rio. Parece que em São Paulo a coisa já tocava, já tinha uma... Mas aqui começou a acontecer a partir daí.

E tem uma contradição, porque era uma época extremamente conservadora, não era?

É, eu acho que a parte do sucesso dele é isso... está pedindo uma revolução, se a política é impossível, de costumes seria viável. Então eu acho que foi a forçação de barra. Quando falam da questão da patota, ou seja, tem uma mesma origem, você tinha acontecendo simultaneamente os Dzi Croquettes aqui no Rio de Janeiro e depois no mundo.

O que eram? Explica pra gente entender direito o que é isso.

Os Dzi Croquettes era um bando de sujos, era um bloco de sujos... Eram homens que você não podia dizer se eram, se fossem homossexuais seriam homossexuais fortíssimos, grandes bailarinos... você não podia rotulá-los, exceto que me parecem como uma espécie de um bloco de sujos com uma apresentação sofisticadíssima, grandes bailarinos com uma parte musical bastante interessante e uma comicidade incrível. Acho que foi transposição pro palco de um tipo de diálogo que ocorria naturalmente nos bares de Ipanema, do Leblon, as praias... Ou seja, onde as turmas se encontravam... Então se reuniu e começou a montar esse grupo como grupo.

E o que eles faziam antes de se apresentar...?
Carlinho Machado, Tovar, Gaia, era uma turma do cacete! Tovar, excelente bailarino. Então era um grupo 12 ou 13 caras que eles estouraram aqui no Rio e que era isso, eles também tinham o mesmo tipo de postura libertária, se caracterizavam de uma maneira mais agressiva e lidavam fundamentalmente com costumes, que eu acho que é o outro viés do Secos & Molhados... Secos & Molhados não foi só uma música de qualidade, não foi só pautada por bons textos, por um excelente cantor... Mas, fundamentalmente, com uma atitude, uma atitude de mexer realmente com os costumes. Eu me lembro do Maracanãzinho, 20 mil pessoas, lotado... Diziam que outras tantas 20 mil do lado de fora e eu apavorado, eu que tinha origem política de "Porra, os caras vão matar o Ney, porra, vai ser foda". O Ney vai dar pinta aqui no Maracanãzinho e... E aquilo acontecendo, as pessoas invadem a parte baixa do palco, que estava no meio da quadra, e aí entra a polícia, que tinha um secretário de segurança meio rigoroso que começou a botar as pessoas pra fora, mas com certa violência. O Ney parou o show e disse "Vamos parar com essa merda, deixa as pessoas ficarem aí"... Cara, ali eu entendi que alguma coisa tava acontecendo de novo nesse país, ou seja, quando a polícia toda se retirou e as pessoas acabaram vendo o show exatamente ali. Então foi uma extrema coragem, ato corajoso dele, as pessoas aceitando aquele tipo de abordagem tão diferenciada que o Ney tinha no palco. Tenho certeza que alguma coisa ali mudou...

A polícia se retirou?
Se retirou e as pessoas ficaram. Mas parar um show e pagar pra

polícia é uma extrema coragem, extrema coragem. Eu entendi ali que essa revolução política tinha continuidade numa revolução de costumes.

Vocês tiveram problemas com a Censura? Algum tipo de problema?

Não... Eu tive problema com a Censura no segundo disco. Eu não sei exatamente, porque como eu estava fora, eu estava no Rio, eu não sei exatamente quais foram os tipos de problemas que eles passaram. Eu acho que eles tiveram problemas nas suas apresentações, isso sim... Tiveram diversos problemas, né. Mas na questão do disco eu não me lembro.

O fato deles terem musicado os poemas como "Rosa de Hiroshima", por exemplo, foi uma maneira de ludibriar a Censura? O que você acha?

Na verdade o que se buscava era qualidade pro texto das suas músicas, você preocupar só em dizer, é rock com qualidade... Com textos de qualidade, vamos ter conteúdo no que a gente está dizendo... Isso existia desde cedo, né, desde a origem da coisa. Talvez o princípio seja esse que norteia a coisa...

De que forma a sociedade lidava com Secos & Molhados diante do que estava sendo dito e também na frente das apresentações e dessa maneira provocativa, sexy também de se apresentar, não vou negar por isso, né, provocativa, sensual... O público lidava com isso, o público deles e também quem não era público... Quem não gostava daquilo, quem era conservador, enfim... Você lembra?

Olha, eu não me lembro de reações contrárias, eles foram de A a Z, ou seja, empregado ouvia, o patrão ouvia, o filho do patrão ouvia, ou seja, foi uma extensa energia de coisas que só esse descomprometimento deles, só posso atribuir a isso, né... Porque o que existia a princípio sim, a história "era coisa de viado", quando a gente sabia que não era... Depois surgiu o rótulo da androginia, eu comecei a perceber que tinha muito mais do que o primeiro rótulo e uma aceitação incrível, porque mexia com homens, com mulheres, era uma coisa de... O Ney é hoje, ainda hoje... O Ney tem essa coisa até hoje, ele tem essa capacidade de mobilizar...

"O vira" acabou se tornando sucesso entre as crianças...
Entre as crianças... O "Sangue latino" tinha um outro tipo de impacto, ou seja, o "Fala" batia de uma outra maneira. Então atendia a cada demanda, né... Cada tipo de demanda.

Por que é que o Secos & Molhados só durou, essa formação só permaneceu durante dois LPs, o que é que aconteceu, você tem ideia?
É, vou falar... são cicatrizes, é lógico. Olha, eu acho que o fruto disso foi o sonho, esse grupo só se reuniu aí, só se encontrou com essa intensidade porque eles tinham um sonho e uma independência, em relação às coisas e uma necessidade de fazer uma indústria de maneira diferente. Eu acho que na medida em que você vai percebendo que eles não eram tão diferentes assim ou que não estavam seguindo um caminho que não era aquele como o originalmente concebido, eu acho que a coisa naturalmente acabou, uma pena.

Vocês ganharam dinheiro?
Ganhamos, meu filho nasceu com "Sangue latino", com o pagamento. Foi uma cesariana, caro pra caramba naquela época, foi todo com o dinheiro do "Sangue latino"...

Dinheiro, muito dinheiro. Quando chega numa hora que a pessoa não está muito preparada pra isso assim, você acha que adicionado a isso, uma quantidade grande de sucesso e de exposição à mídia... Você acredita que pouca gente está preparada psicologicamente para segurar a onda?
Acredito. Eu acho que tem, eram todos muito, muito, muito novos. Muita maturidade pra um tipo de abordagem e talvez sem preparo pro outro tipo, pra repercussão que isso pôde causar. Nesse mesmo show do Maracanãzinho, eu me lembro que houve uma distribuição de dinheiro, era a bilheteria que chegou pros três. Ou seja, Moracy dividiu aquilo e cada um botava o seu dinheiro nas suas bolsas e pau na máquina, um mês viajando, cada um fora... Ali, onde o dinheiro era apenas uma possibilidade de umas férias melhores, na volta dessas férias melhores eu tenho a sensação de que já voltaram diferentes, eu acho que já tinha ali uma ideia de inserção na indústria, de propósito que não era exatamente o que tinha pautado o encontro na sua origem.

Que análise você faz desse fenômeno aqui? Por que ele sobreviveu tão bem, além das ondas que apareceram na música brasileira e é visto como, sem dúvida nenhuma, um dos registros mais importantes da música brasileira?
É, bom... é preciso que a gente entenda que ele foi lá, eu acho que o Brasil estava muito propício a um grande fenômeno, porque nós tínhamos o vazio cultural que a gente falou antes, a evasão das nossas melhores cabeças musicais e vivemos o auge do "Milagre brasileiro", ou seja, muito dinheiro no país. Então a indústria estava pronta pra que alguma coisa acontecesse. Eles foram uma feliz coincidência, o grupo certo na hora certa. E a partir daí isso teve uma repercussão que permitiu que essa coisa se eternizasse. Se hoje é importante, eu acho que o teu trabalho de res-

gate foi importantíssimo, porque foi importante pra geração do meu filho, saber que essa coisa existiu lá em 1974. E eu acho que a qualidade que eles mantêm até hoje pelo olhar da originalidade, fundamentalmente a questão de o quanto um grupo de garotos sendo originais conseguem eternizar o seu trabalho independente das suas idiossincrasias.

Queria perguntar essa coisa da reedição do disco, porque ontem, estranhamente, eu entrei no site do João Ricardo, não conhecia. Eu entrei e percebo no site que ele tentou reeditar várias vezes o Secos & Molhados... Disco 3, disco 4, disco 5... E agora recentemente outro. Então, é isso... Por que isso não aconteceu de novo? Acabou?

Porque, em verdade, ele acreditou que a marca Secos & Molhados era mais forte do que os Secos & Molhados com o Gerson, com o Ney e com ele. Eu acho que ele nunca conseguiu reencontrar essa química que possibilitou essa coisa mágica que foi essa versão de Secos & Molhados. Pra mim Secos & Molhados é isso, o resto é uma alegoria.

Qual é a função do Gerson Conrad ali no grupo?

O Gerson era o equilíbrio da coisa, ele é um músico talentoso, talvez ele fosse o melhor dos músicos.

Colaborava na química, você acha assim, tinha um contraponto?

Eu acho que era isso sim. Ele tinha um papel, a importância dele já se pauta aí pela "Rosa de Hiroshima", que talvez tenha sido a mais bonita de todas as músicas que o Secos & Molhados já fizeram, que é uma coisa linda. Agora, a liderança era expressa pelo João Ricardo, ou seja, a gente fala Secos & Molhados é João Ricardo, o que houve é que cada um recheou esse trio... Os músicos foram também muito importantes, a poesia que segurou a performance dos três era igualmente importante. O Secos & Molhados deixou de ser um projeto e passou a se consubstanciar numa voz, onde o Ney era muito importante, num tipo de música onde o Gerson contribuiu de uma forma decisiva. E acho que essa foi a grande química do Secos & Molhados, a contribuição que todos deram. Agora, sem dúvida a direção e o encaminhamento do projeto foi dado pelo João Ricardo, ele tinha esse olhar prospectivo, essa coisa de estar no futuro. Pena que ele tenha tentado repetir isso posteriormente, porque ele tem muito mais talento do que o que foi infelizmente escondido pelas sucessivas reedições de Secos & Molhados.

O João Ricardo sabia muito bem o que ele queria? Está claro isso?

Sabia, sabia, sabia. Eu acho que assim como o Ney sabia o que ele gostaria de estar exibindo no palco, como em sua performance pessoal, o João Ricardo sabia pra onde tinha, para onde queria conduzir, ou seja, ele tinha consubstanciado isso no primeiro trabalho e sabia pra onde ele pretendia chegar... Onde ele pretendia caminhar com aquilo. Não chegar lá foi uma pena. ◉

Moracy do Val

Como você ficou sabendo do Secos & Molhados? Eles já faziam um grupo? Já eram um grupo formado na época? Com quem você fez seu primeiro contato?

Eu conheci o Secos & Molhados no Teatro Ruth Escobar, através do João Ricardo. Conheci o João quando ele era adolescente, ainda na redação da *Última hora*. Eu fui ver um show do Cyro Monteiro e na saída o João Ricardo falou "espere aí que eu vou apresentar meu grupo". Eles estavam aguardando terminar o espetáculo *A viagem*, em que o Ney fazia um marinheiro, uma figuração assim. E o Ney terminou o espetáculo. Eles vieram pra casa de Badalação e Tédio, Café Concerto e começaram o show. Fantástico, eu fiquei vidrado, nunca tinha visto nada igual. Aquele som, aquela coisa nova. O Ney ainda de bigodão, ele fazia um marinheiro português, todo cheio de purpurina. Brilhando, com aquela voz incrível, fantástica. Eu saí, fui pro jornal e escrevi. Dois dias depois saiu minha crônica no jornal elogiando o grupo. E, segundo o Gerson, parece que todo mundo leu aquilo. Porque aí foi uma loucura, filas e filas e filas. E eu peguei, conversando com o João, "eu vou gravar vocês". Ele disse que já tinha a fita deles, que já tinham passado por duas gravadoras e sido recusados! Por pessoas muito importantes do disco, não vou citar, né? Porque mancada todo mundo dá na vida. Mas eu levei pra Continental e eles falaram "então produza". Produzi num estúdio de quatro canais. Num estúdio de abertura, esse disco que acaba de ser eleito pela *Playboy* de um ano atrás como melhor disco, melhor LP já feito no Brasil! Que é um certo exagero, tem tantos discos bons. Mas maravilhoso. Melhor capa, melhor disco e é um disco atual.

Que outro artista você empresariava na época? Teve que abrir mão de alguns contratos pra cuidar só deles quando eles estouraram?
Eu era um produtor de shows. Eu produzia muitos shows, muitos artistas novos. No Teatro Aquarius eu tinha as segundas, terças-feiras. E eu dirijo o Teatro Aquarius com Altair Lima. Um grande empresário, grande ator, produtor, nos anos 1960, 70. E eu apresentava os novos grupos de Pop, tava muito enfronhado já com esse mercado. Aí a primeira coisa que eu fiz foi levar o Secos & Molhados depois da gravação, mesmo antes de lançamento de disco, fiz duas noites, segunda e terça no Aquarius já com meia casa. E eu era um agente do grupo, não um empresário. Aí chamei alguns empresários pra ver se eles comercializariam o grupo. Mas eu senti que não era esquema de empresário, eu tinha que criar alguma coisa nova. Porque os empresários esperam tocar telefone, fazem uma publicidade e querem vender os artistas, estabelecem o cachê. Eu falei "não, eu vou procurar o público". E saí numa *blitzkrieg* mesmo. Fui nos grandes clubes populares, nos clubes grã-finos de São Paulo e alugava os espaços. Eu bancava com o grupo, nós bancávamos o show. E aí eu quis mapear rapidamente, primeiro São Paulo, a cidade. Aí fiz o Clube Pinheiros, fiz o Clube Ipiranga, fiz São Caetano, Santo André, fiz temporadas relâmpagos, fiz Teatro Itália. Todos, assim, lotando. Aí fui pra mapear o estado de São Paulo. Banquei São José do Rio Preto, Bauru, várias cidades, Campinas. E na sequência partimos. O disco saiu, nós fizemos uma primeira apresentação na TV Tupi, no Airton Rodrigues, um programa que

tinha uma boa audiência. E nós fomos num teatro que lotou na sequência do programa. Começou a vir gente que não acabava mais. E nunca mais nós trabalhamos com menos de superlotações. Sempre três vezes o público que caberia em qualquer lugar. Fosse Maracanãzinho ou fosse o que fosse. E mapeamos o país inteiro rapidinho, como um susto, pra não dar tempo da Censura descobrir o que estava acontecendo.

Vamos falar da imagem do grupo. Você participou da criação da imagem do grupo? Como que foi a escolha da capa? Da maquiagem?

O grupo, desde a primeira apresentação, na Casa da Badalação e Tédio, da Ruth Escobar, o Ney já com purpurina, aí o Gerson e o João Ricardo também puseram purpurina. A maquiagem não foi pensada, foi um lance de sorte. Na verdade, na casa da Badalação e Tédio, no primeiro show que eu assisti, a Luhli, autora do "O vira", junto com o Ricardo, levou purpurina e o pessoal passou purpurina. O Ney encheu o rosto de purpurina, porque ele tava ainda maquiado com graxa dos *Lusíadas*. Então a maquiagem ele cobriu com purpurina. Aí o Ricardo e o Gerson também colocaram a purpurina, e daí nasceu. Quando o Antonio Carlos Rodrigues, grande fotógrafo, foi fazer a capa do disco, ele utilizou-se, ele já tinha feito um ensaio pra *Fotótica*, foi capa da revista *Fotótica* um mês, dois meses antes, a modelo, esposa dele, numa bandeja numa mesa. Daí ele multiplicou por quatro. Na capa está o Marcelo Frias, que depois não quis fazer parte do grupo, "não, quero ser músico só ". Porque tinha os três que ficaram dos Secos & Molhados, e os músicos maravilhosos que acompanhavam. E daí surgiu a capa. Foi um lance de sorte, um lance de dados.

E a questão do repertório, você participou?
O repertório veio prontinho, já estava pronto. O João já vinha fazendo esse trabalho com a Luhli. Já tinha feito as músicas com o Paulinho. Ele não tinha um cantor, na verdade. Foi quando a Luhli indicou o Ney. Era um jovem artesão, que costumava cantar com ela e tinha um timbre de voz muito diferente, como a gente sabe. Mas o repertório estava pronto, foi gravado, e com a exceção de coisas que a Censura proibiu, uma música em cima de um poema do Bandeira. E o resto já estava prontinho, a gente só deu chance deles fazerem direito e sem ninguém atrapalhar, isso que foi a minha função. Deixar a arte brotar naquela pureza, naquela maravilha, naquela força. João Ricardo, com quem a gente brigou depois, é um compositor maravilhoso e eu lamento que ele não esteja fazendo música. Ele é dos melhores compositores deste país. E Gerson também, que tem três músicas nesse disco.

O grupo era muito andrógino. Essa androginia encontrou resistência na mídia? Como é que a Censura reagiu a isso? Teve alguma ameaça daqueles CCCs da época?
Androginia era uma coisa que estava na mídia da época, sobretudo por causa de alguns artistas internacionais. E ninguém trabalhou em cima da androginia, na verdade. E nunca houve nenhuma reação contra a participação do Ney. O Ney era um artista fazendo um papel no palco, não é verdade? As pessoas não conheciam o Ney de cara limpa. Eu nunca deixei eles darem entrevista de cara limpa. E nem dar entrevista, eu achava que tudo que eles tinham pra dizer tava no disco e no palco. Cada um que tivesse a sua leitura. Todo mundo teve a sua leitura. As crianças tiveram uma leitura, os adultos tiveram uma leitura. E, numa época em que a Censura proibia Dener e Clodovil de aparecerem na TV, nós transformamos esse grupo, que diziam que

era andrógino ou não, não tenho a menor ideia do que quer dizer isso, transformamos no maior sucesso do país. Quando teve tentativa de proibirem, o juiz quis proibir em São Caetano, o neto dele veio "vô, você está maluco?". Nunca mais ninguém tentou proibir o grupo. E nessa época de uma ditadura brava, a Censura não sabia ler o que era o grupo. Porque não era aquela esquerda de "vamos derrubar", nada. Era quebrando a moral, quebrando uma perna da ditadura. Aquela falsa moral, aquela coisa babaca, que proibia pessoas de aparecerem de peito de fora em novelas. Era uma coisa absurda, nós passamos por isso tudo e nem demos bola pra ninguém. Eles embarcaram juntos. Vendemos um milhão de discos, assim, em seis meses.

A Continental tinha ideia do impacto que o grupo ia causar? Como foi o planejamento de lançamento do disco?
Esse planejamento quem fez fui eu. A Continental não tinha a menor ideia do impacto que ele ia causar. Eu sabia que tinha nas mãos alguma coisa que poderia se transformar em grande sucesso, mas nem eu tinha essa dimensão imensa. Mas na medida em que eu senti que o público veio, aí eu abri tudo. Na porrada fiz a Continental me acompanhar, pondo anúncio em revistas internacionais, entende? E fazendo-a bancar uma parte desses shows que eu corria. A parte de mídia tudo, de publicidade, eu fiz a Continental bancar. Ela não tinha ideia do que era, que não tinha nem matéria numa época que faltava petróleo, crise, não tinha matéria-prima. Pra imprimir e pra atender a demanda da venda dos Secos & Molhados tiveram que derreter todo o estoque gravado da gravadora. E olha que tinha um repertório sertanejo sensacional, com grandes artistas. Derreteram todos os vinis, tudo aquilo, pra poder ter matéria-prima pra atender. A capa, que era dupla, daquele auge, depois dos 600 mil discos, saiu capa sim-

ples. O que era colorido na parte interna saiu preto e branco. Então foi uma loucura. Não havia essa possibilidade de supor que esse grupo, que ninguém conhecia, fosse bater Roberto Carlos em seis meses. A ponto de vender seis vezes mais discos que o então Rei.

Como que era o contrato deles com a gravadora? O João Ricardo tinha uma porcentagem maior?

O contrato era do grupo, Secos & Molhados, a marca Secos & Molhados era registrada pelo João Ricardo. Mas eles dividiam a parte de gravadora em partes iguais, iguais. O Ricardo ganhava mais porque era autor de música. Mas isso é um problema editorial. Ele recebia da editora e recebia da execução.

E como era o seu contrato com eles? E por que o João Ricardo resolveu colocar o pai, João Apolinário, como empresário do grupo?

O grupo se autoempresariava e eu era o agente empresarial do grupo. Nós formamos, João, Ney, Gerson e eu, uma empresa chamada SPPS Produções Artísticas, cada um com 25% e dividíamos em partes iguais. Pagavam-se todas as despesas e se dividia os lucros. Tem uma contabilidade assim. Os shows eram sucesso grande. Nós corremos o país inteiro com grandes espaços. Shows que hoje, os artistas assim, do rock, dos anos 80, 90, atual, que levam uma equipe de 100 pessoas, nós fazíamos em seis pessoas. Nós éramos verdadeiros heróis do rock. Nós levávamos e nunca ninguém fez um sucesso igual. Um som maravilhoso, a gente conseguia, e com a equipe pequena, viajando de avião, viajando de coisas. Levando equipamento para Belém, Manaus, pra todos os lugares. Coisas que hoje as pessoas usam 80 pessoas pra fazer. Então não tem a mobilidade. E eu precisava muito dessa mobilidade, porque eu queria ganhar o país inteiro pra poder partir pra grande missão, que era o exterior. Eu tinha esquema já nos Estados Unidos, eu já tinha esquema na França, eu tinha um esquema em toda a Europa. Mas aí surgiu um componente chamado burrice, que achavam que eu estava ganhando igual aos outros. Os caras falavam assim "ele nem é bicha e ganha igual". E isso foi dito pelo pai de João. [risos] Eles não são bichas coisa nenhuma. Ninguém é bicha.

O pai do João entra...
Pois é.

Como é essa questão dele entrar?
Essa era uma história. O João Apolinário era um grande crítico de teatro, era meu amigo e era pai do João Ricardo. E foi essa história. Achavam que eu era meio desorganizado. Como um cara desorganizado pega um grupo que não existia e em três meses faz passar o Rei Roberto Carlos, me explique? Eu tinha outra tática, era uma guerrilha que eu usava. E ninguém mais fez isso como eu fiz. E ainda não fizeram mais porque não sabem fazer mesmo. Então aí tentaram fazer uma outra empresa. E tentaram me tirar quando eu tinha armado um esquema no México. Porque eu tinha grandes amigos. Eu fui júri de festivais de música no exterior, então eu conheci muita gente. E quando eu soltei o disco *Secos & Molhados*, eu mandei cópia pro México, pro Díaz. Que depois foi o cara que fez os Menudos sucesso mundial. E o Diáz "poxa... vou lançar no México, posso?". E trocamos cartas tal, ok. Na hora da viagem pro México, o cara me tira da parada. Monta uma empresa, ele chama o Ney, o Ney assina, depois se arrependeu profundamente. O João é uma pessoa que eu respeito como crítico, como intelectual. O João Apolinário, que já morreu. Mas

pai se metendo em negócio de filho, você entende? Lamento, lamento pelo João. Lamento por ele. Porque não ganhou nada com isso. E estragou a maior galinha de ovos de ouro do show business mundial, não é? Nós fizemos um ano e morremos.

Quantos discos, realmente, foram vendidos nessa estreia? Falando de números.

É difícil saber... Porque a indústria de discos sempre teve seus números escondidos, porque gerariam muitos filhotes. Mas a gente, tendo acabado toda a matéria-prima da gravadora, a ponto deles terem que usar todo o estoque que eles tinham empilhado, estoque de um catálogo de centenas e centenas de artistas, não é? Sabendo que as gráficas não tinham condição de papel pra rodar tanta coisa, tanto que tiveram que abandonar o álbum tradicional pra soltar simples, o disco. No mínimo, naquele curto período de seis meses, um milhão de discos foram vendidos. No mínimo, um milhão de discos foram vendidos.

Como foi a reação deles e da gravadora, frente a esse sucesso? A esse número de discos vendidos?

Bom... Imagine a reação. As pessoas... Todo mundo duro. Jornalista, estudante, artesão. De repente, aquele dinheiro chegando. O João, a primeira coisa que fez foi comprar um Porsche. [risos] Ele ganhava mais, ele é o autor de 10 dos 13 sucessos. Imagina... Ganhou fortunas, fortunas, fortunas. Aí o pessoal começou, o Ney sobretudo, "Eu sou a voz do grupo". Na verdade, o grupo era perfeito, se formavam. Era de frente o João compositor, o Gerson segurava um equilíbrio, bom músico... Bons músicos atrás também. Mas aí o Ney falando "bom, o João está ganhando muito". Mas estava ganhando muito porque era autor. Aí o João Apolinário já quis entrar, primeiro ele quis contratar o Ney e o

Gerson como funcionários deles, entende? Aí não deu certo. Eu aí já tinha saído fora, os contratos todos que eu tinha no exterior, esquemas incrivelmente bem armados, eu cancelei tudo, não é? E aí lançaram um novo disco, e no dia do lançamento morreu o grupo.

Quanto tempo que durou seu contrato com eles? A rescisão foi amigável, você ganhou muito dinheiro com isso?
Na verdade eu não tinha um contrato com eles, eu era sócio deles. Tentaram me tirar da sociedade de uma forma sub-reptícia. Me chamaram pra uma reunião normal e tinha oficiais de justiça me esperando. Isso é o que eu considero covardia, não é? Pessoas decentes não podem fazer isso. Eu acredito que eles não tinham noção do que estavam fazendo comigo. Se arrependeram, menos o João, mas tudo bem. O Ney e o Gerson se arrependeram, mas acabou. Cristal quebrado não voltou. Durou o que? Seis meses, oito meses assim... Nesse período nós fizemos uma coisa que nunca existiu no show business brasileiro.

Grana. Ganhou dinheiro nessa época, pelo menos?
Pois é. Dinheiro, dinheiro. Eu era jornalista, produtor de show, nunca dei bola pra dinheiro. Não era a minha praia. Eu gostava de estar fazendo as coisas. Eu fundei o Teatro Oficina, eu fundei o Teatro Gazeta, produzi um monte de shows, de Milton Nascimento, de Maria Bethânia, fiz coisas muito antes deles. Eu fiz um disco do Ary Toledo que tinha o "Comedor de gilete" ["Pau de arara", Vinícius e Carlos Lyra], que ficou em primeiro lugar nas paradas durante meses. Quer dizer, não eram surpresas pra mim. Dinheiro pra mim é ficção, vai e vem numa boa, tranquilo até. Mas era muito dinheiro, sim. Muito dinheiro. Mas não sobrou nada pra mim, então... Tive esse prazer de poder gastar aquele dinheiro.

Você tem alguma história curiosa do grupo?
Ah sim! Algumas coisas curiosas. Eu achava que o grupo não podia aparecer. Tanto que no auge do sucesso, ainda em São Paulo, quando começou aquela explosão, o Ney, de cara limpa, ficava na São João, encostado nos correios, fazendo as pulseirinhas dele. Fazendo e vendendo junto com outros hippies e nunca ninguém chamou, nunca perceberam que era o Ney Matogrosso, um ídolo do país, entende? Então eles tinham uma liberdade total. O João Ricardo, ele se queixa, ele queria ser reconhecido na rua. Mas eu não queria que isso acontecesse, como eu não queria que eles dessem entrevista. Eu queria que as pessoas ficassem tendo a leitura que tivessem deles. Eles tinham tudo no palco, no disco, na expressão, na coisa da chamada androginia. Mas o João, quando vinha uma menina assim, como ele era pintado, ele tinha uma pintura aqui. Aí tinha uma menina que ele queria, ele punha a mão no rosto, pra tentar fazer com o rosto. [risos] Acho muito justo, um garoto de vinte e poucos anos querer, ainda mais quando a menina valia a pena. Mas é mais ou menos isso ○

DISCOS CONTINE[NTAL]

FACE B ℗ 19

SE[C]

1. ASSIM ASSADO
(João Ricardo - Solo
Gerson Conrada)
Conrad - Vinici
(João Ricardo
CAPITÃO
7. AS
Cass

PROIBIDA A REPRO-
DUÇÃO, EXECUÇÃO E
RADIOTELEDIFUSÃO
DÊSTE DISCO - FABR. POR
GRAVAÇÕES ELÉTRICAS S/A.
(DISCOS CONTINENTAL)
AV. DO ESTADO, 4755 - S. PAULO
SCDP-DPF-004/69-SP - C. G. C.
61.186.300/001 - IND. BRASILEIRA

33 1/3
STEREO COMPATÍVEL MONO
SLP 10.112

& MOLHADOS

icardo) 2:50 - 2. MULHER BARRIGUDA
dade) 2:35 - 3. EL REY (João Ricardo -
- 4. ROSA DE HIROSHIMA (Gerson
Moraes) 1:59 - 5. PRECE CÓSMICA
no Ricardo) 2:00 - 6. RONDÓ DO
icardo - Manoel Bandeira) 1:00
RINHAS (João Ricardo -
cardo) 0:53 - 8. FALA
Ricardo - Luli) 2:58

© Charles Gavin, Canal Brasil; © Desta edição, Ímã Editorial

Direção-geral Charles Gavin
Coordenação Luis Marcelo Mendes
Edição Julio Silveira
Projeto gráfico Tecnopop
Revisão Priscilla Morandi e Jackson Jacques

Agradecimentos especiais a
Paulo Mendonça • André Saddy • Carlinhos Wanderley
Catia Mattos • Canal Brasil • Darcy Burger • André Braga
Bravo Produções • Gabriela Gastal • Gabriela Figueiredo
Samba Filmes • Zunga • Yanê Montenegro
Oi • Secretaria de Cultura Governo do Rio de Janeiro

G677   Secos & Molhados (1973): entrevistas a Charles Gavin /
            Entrevistas de Gerson Conrad, Luhli, Moracy do Val, Ney
            Matogrosso e Paulo Mendonça. — Rio de Janeiro: Ímã | Livros
            de Criação, 2017.
            140 p.: il.; 21 cm. — (O som do vinil).

            ISBN   978-85-61012-60-1

            1. Música popular — Brasil — História. 2. Músicos — Entrevista. I. Conrad, Gerson, 1952 -. II. Luhli [Heloisa Orosco Borges da Fonseca], 1945- III. Val, Moracy do, 1937-. IV. Ney Matogrosso [Ney de Souza Pereira], 1941- V. Mendonça, Paulo - VI.. Gavin, Charles, 1950- VIII Título. VII Série.

                                          CDD 782.421640981
                                          CDU 784.4(81)

O projeto empregou as tipologias FreightText e FreightSans.

Ímã

Ímã Editorial | Livros de Criação
www.imaeditorial.com